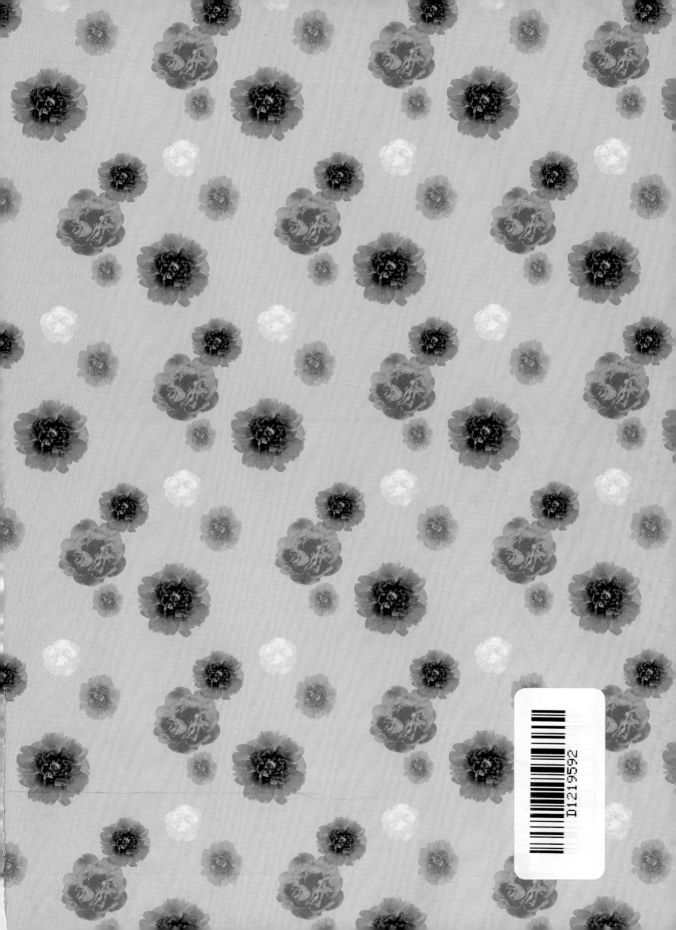

D1219592

TON PETIT LOOK II

LES FILLES SONT-ELLES FOLLES ?

Carolane et Josiane Stratis

TON
PETIT
LOOK
II

LES FILLES SONT-ELLES FOLLES ?

✗✗✗✗
P. 16
P. 17
p. 27

cardinal

TON PETIT LOOK II
LES FILLES SONT-ELLES FOLLES ?

Carolane Stratis et Josiane Stratis

Textes : Carolane Stratis et Josiane Stratis

Direction artistique et design graphique : Marie Leviel

Illustrations : Valérie Darveau

Photographie des auteures : Marï photographe

Mise en page : Stéfanie Plourde

Édition : Emilie Villeneuve

Révision : David Rancourt

Correction d'épreuves : Myriam de Repentigny

Directrice à la production : Marie Guarnera

Un ouvrage sous la direction d'Antoine Ross Trempe

Publié par :
Les Éditions Cardinal inc.
7240, rue Saint-Hubert, Montréal (Québec) H2R 2N1
editions-cardinal.ca
Dépôt légal : 2017

Bibliothèque et Archives nationales du Québec
Bibliothèque et Archives Canada
ISBN : 978-2-924646-08-3

Nous reconnaissons avoir reçu l'aide financière du gouvernement du Québec –
Crédit d'impôt remboursable pour l'édition de livres
et Programme d'aide à l'édition et à la promotion – SODEC.

Financé par le gouvernement du Canada
Funded by the Government of Canada

Canadä

cardinal

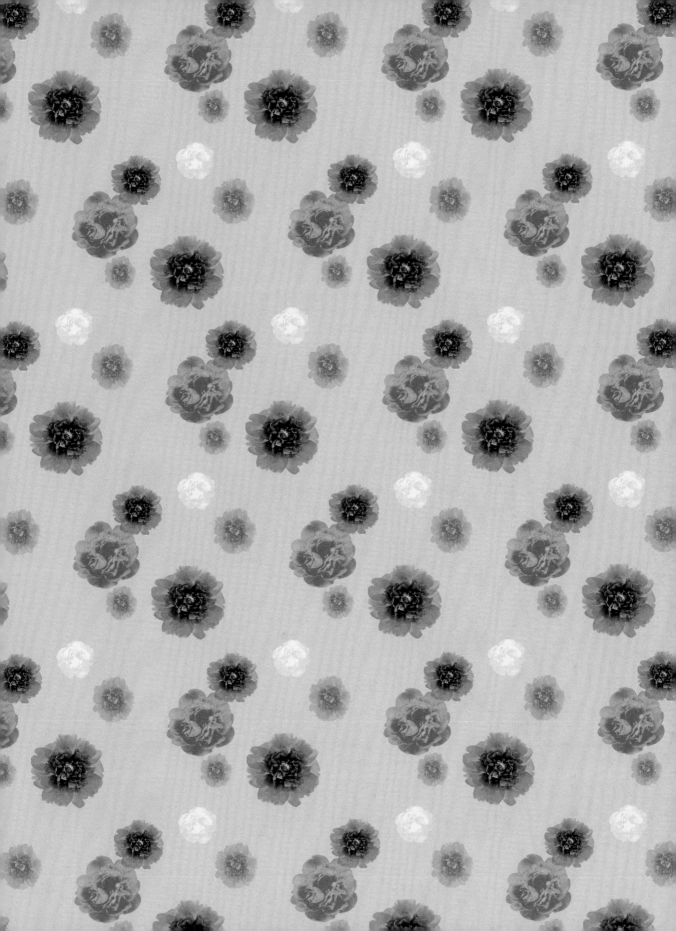

Table des matières

3

Ventre

4

Vulve

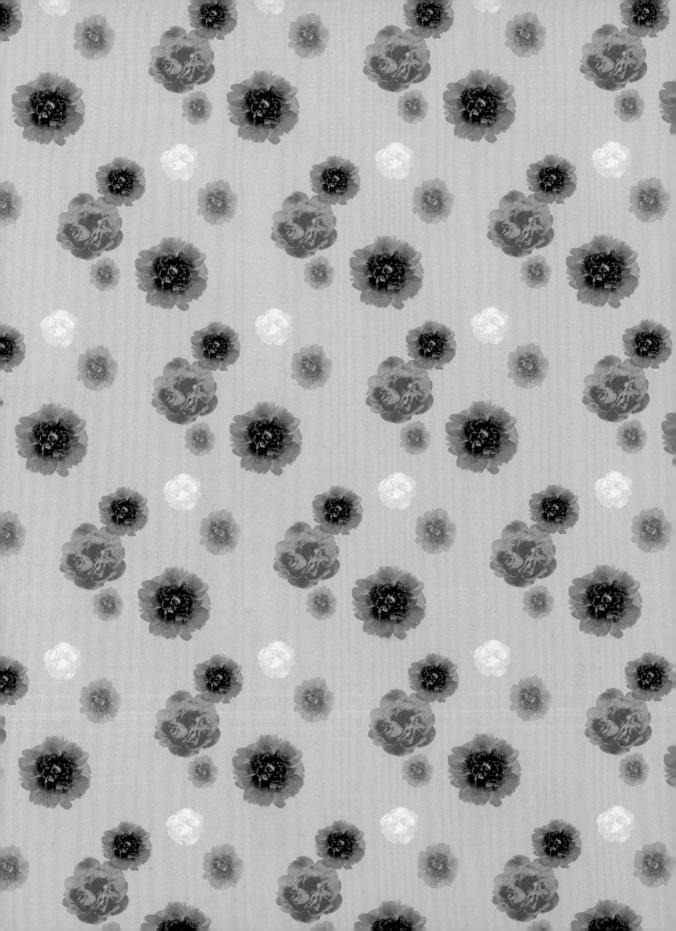

Introduction

C'est quoi ton problème ?

Il y a eu la dépression de Carolane, moment charnière dans nos vies, parce qu'on est si liées l'une à l'autre qu'il nous a longtemps été difficile de nous dissocier nous-mêmes. Au début, on comprenait vraiment pas, on était toutes les deux tellement frus qu'elle soit aussi faible. Ça nous faisait mal qu'elle aille aussi mal.

Il y a eu le fait que quand on a commencé, sur le blogue, à parler de maladies mentales, les gens se sont ouverts à nous. Ça nous a permis d'avoir un aperçu de la souffrance du monde. C'était comme un cours accéléré d'empathie.

Il y a eu le décès d'une amie du cégep, Stéphanie. Elle s'est enlevé la vie au moment où on écrivait l'intro de notre premier livre. Même si nous n'étions pas proches d'elle à ce moment-là, sa souffrance nous a donné un coup de pelle dans la face.

Il y a eu les nouvelles collaboratrices de *Ton Petit Look* et de *TPL Moms*. À force de leur parler, on se rendait compte qu'il y avait toujours une petite difficulté ou une plus grande qui se cachait derrière leur vie en apparence « normale ».

Il y a eu aussi le discours ambiant. C'était une voix imperceptible, mais toujours là, qui criait que toutes les filles étaient des folles. Il y a eu les autocollants (« TDF : Toutes des folles ») populaires dans la région de Québec, dont Radio-Canada avait révélé l'existence dans un reportage « édifiant » où les *dudes* interrogés disaient les uns après les autres que c'était vrai, ce que disaient ces autocollants.

On s'est demandé ce qu'on pouvait faire

Dans les dernières années, avec nos *struggles* respectifs – la dépression pour Carolane, un TDAH découvert il y a pas longtemps pour Josiane –, on s'est demandé ce qu'on pouvait faire. On n'est clairement pas psychologues (même si, *funny story*, c'était ce que l'on voulait faire en secondaire 5, on avait même dit ça lors de notre participation à Miss Teen Québec, *#NeverForget*).

Bon, on a écrit des centaines de textes avec nos collaboratrices pour en parler, ça, c'est vrai. Mais ce n'était pas assez. On voulait en faire plus.

Notre statut d'« influenceuses » de *TPL* ne nous sert pas juste à recevoir des *goodies*, ni même seulement à gagner nos vies en faisant ce qu'on aime. On a la chance, *#LesJumellesDeLaMode*, de pouvoir faire une différence en ouvrant la discussion, en disant haut et fort à tout le monde : vous n'êtes pas seules, on est *just like you* et tout va bien aller. Mais pour ça, il faut parler et surtout, aller chercher des ressources professionnelles. C'est ce qu'on a fait, c'est aussi ce que les filles qui ont bien voulu répondre à nos questions au cours de la rédaction de cet ouvrage ont fait. Nous avons toutes apporté notre contribution, que nous ayons un diagnostic tiré du DSM-5 (*aka* la bible des maladies mentales) ou pas.

Dans ce recueil sans prétention et plein d'humanisme, on a voulu parler de la folie que le discours ambiant associe aux filles. Nous avons voulu montrer que non, toutes les filles ne sont pas folles, même celles qui sont atteintes d'une maladie mentale. Nous avons voulu parler aux filles censées être « folles » pour présenter comment elles en étaient arrivées là et ce qu'elles avaient fait pour essayer d'aller mieux. Il n'y a pas de recette magique, et nous essayons le plus possible de faire connaître différentes facettes de la « folie » qui pourront vous déculpabiliser, de faire comprendre que ce sont des choses qui arrivent et que c'est correct aussi de ne pas bien aller.

En fait, ça va bien aller.

CAROLANE ET JOSIANE STRATIS

À Dolores, surtout, parce que tu es une fille.
Et à Arthur et Marcel, parce que ça va passer
par vous aussi. En espérant que votre monde
soit moins fou !

1

TON PETIT LOOK II
Les filles sont-elles folles ?

Tête

« Le seul moyen de s'appartenir est de comprendre. Les seules
mains capables de saisir la vie sont à l'intérieur de la tête,
dans le cerveau. »

RÉJEAN DUCHARME — *L'Avalée des avalés*

Je suis folle pas vous

CAROLANE STRATIS

J'étais au Salon du livre de Sherbrooke quand une madame s'est penchée sur mon fils de trois mois qui était assis sur mes genoux. Je dis assis, mais disons plutôt qu'il se tenait là, aussi mou que surpris par l'effervescence qui régnait autour : il en était déjà au deuxième salon du livre de sa courte vie. La dame était donc là, devant moi, et elle m'a dit : « J'aime tellement les bébés, je suis folle ! » Alors, j'ai répondu du tac au tac : « Ça tombe bien, moi aussi ! »

Chaque fois que je fais ça, je sais que ça rend les gens mal à l'aise. Mais, *guys*, de grâce, êtes-vous vraiment obligés d'utiliser le nom d'une maladie mentale pour décrire l'un de vos traits de caractère ? Vous n'êtes pas TOC si vous aimez faire du ménage. Mon amie qui ne peut pas dormir si elle n'a pas vérifié quarante fois si sa porte est barrée l'est.

Vous ne faites pas de dépression s'il n'y a plus votre taille dans une boutique. Moi, j'en fais une. Il y a des jours où je ne peux pas me lever et me laver.

La température n'est pas bipolaire parce qu'on a un automne *weird* et que vous ne pouvez pas profiter de votre *sweater weather*.

Il n'y a rien de glam à être malade. Il n'y a rien de drôle à utiliser un terme qui parle d'une maladie mentale lorsque vous n'en comprenez que la pointe de l'iceberg. Vous ne vivez pas avec la stigmatisation qui s'opère autour de vous quand vous dites que vous êtes malades. Vous ne vivez pas avec la prise de médicaments, vous n'avez pas à rencontrer le psychologue, le psychiatre. Vous ne vivez pas avec l'absence d'assurance vie ou invalidité qui vient souvent avec le fait de souffrir d'une maladie mentale. Vous n'avez pas peur de perdre votre emploi parce que vous alignez vos chaussettes dans votre tiroir.

Si vous n'êtes pas malades, vous n'avez pas le droit de prendre les caractéristiques des maladies mentales pour vous attirer un capital de sympathie ou pour faire une blague. C'est dégradant, c'est insensible et blessant.

Et surtout, ça me rend folle. ∎

Pour la journée où tu te sentiras comme de la marde

CAROLANE STRATIS

Ça fait toujours la même chose : je pense que je suis mieux et que ça n'arrivera plus. Puis, j'ai une mauvaise nuit. L'un de mes enfants se réveille. Je me couche trop tard pour rien, je stresse pour je-ne-sais-quoi. Et tout part en couille.

Je me mets à me comparer. «Ostie que je ne suis pas bonne. Je ne sers à rien. J'ai pas de patience, je ne suis personne. Mes enfants ne m'aiment pas vraiment, dans le sens que je ne suis pas nécessaire. Mon chum va bien finir par me laisser. Je ne suis pas assez. Je suis trop émotive. Je suis *such a fraud.*»

Ça dure un jour, deux, trois, une semaine. Une semaine où peu importe ce qu'on me dit, je ne suis plus capable d'analyser les informations. Je déforme, je m'enfonce. Je me réveille un matin et je me dis que ça n'a pas de sens, que je me fais peur. Je reprends une route que je connais déjà.

La première étape pour aller mieux c'est de m'en rendre compte. OK, ça ne va pas, mais ça ne durera pas.

J'essaie de dormir, de mettre mes limites, d'aller chercher de l'aide, de prendre du temps pour aller mieux. Je prends un petit moment avec mes enfants s'il le faut. Je pleure en public, sur Instagram, Snap, en *inbox* à mes amis. Je mange des choses que j'aime. Je vais m'acheter un café. Je prends tout l'amour qu'on m'offre, même si je dois aller le chercher

directement dans les bras de la famille que j'ai construite. Je respire l'odeur de mes bébés. Je prends mes médicaments à des heures régulières. Je mange un pot de crème glacée.

Ça prend des fois une semaine ou un mois et ça finit par mieux aller. Si je continue de m'enfoncer, j'ai deux numéros de bien rentrés dans mes papiers : psychologue et psychiatre.

On sait jamais, il y a des chances que je retombe en dépression n'importe quand, autant avoir des outils qui me font du bien et qui m'aident à ne pas sombrer à nouveau. ■

Les filles sont-elles FOLLES ?

La première fois qu'on en a parlé

CAROLANE STRATIS

Je trouvais important d'inclure le billet qui a ouvert tant de dialogues avec nos collaboratrices et avec nos lectrices, et qui a changé à jamais la vision que nous avions, Josiane, les autres et moi, des maladies mentales. Alors voici la genèse de *TPL* en version *deep*.

* 25 avril 2012
Voici un billet écrit par Carolane pas en rapport avec la mode pantoute, mais très important. On s'excuse d'avance pour le ton un peu sérieux (d'un autre côté, on s'excuse pas vraiment parce que, dans la vie, certaines choses doivent se dire). Merci et on vous aime beaucoup !*

Ça fait plus d'une semaine que je pense à en parler, à expliquer aux gens (à vous) la raison de mon absence virtuelle un peu prolongée...

Mais j'avais peur : peur qu'on me prête des intentions qui ne sont pas les miennes, qu'on me traite d'opportuniste, qu'on pense que j'essaie d'augmenter mon capital de sympathie ou que je profite de la situation. Ce n'est jamais facile de dire qu'on ne va pas bien, qu'on est malade, et ce n'est pas tout le monde qui veut l'entendre. Je comprends, mais juste un peu.

Dimanche dernier, une amie a tenté de mettre fin à ses jours. Quand je l'ai appris, j'ai sauté dans un taxi et je suis arrivée à l'hôpital en pleurant comme une madeleine. On s'était vues le lundi et je n'avais pas compris qu'elle allait aussi mal. Pourtant, j'étais bien placée pour le faire. Y'a pas un mois, j'étais dans la même situation.

J'avais rédigé ma lettre de départ, que j'avais envoyée à mon amie en France, histoire d'avertir quelqu'un qui ne pourrait rien faire. Puis, j'ai eu une bulle au cerveau : il fallait au moins qu'une personne à Montréal le sache. Il était tard. J'ai copié-collé mon message en *inbox* à une autre amie en me disant que si elle était encore debout, elle allait m'aider. Sinon, bien, c'était ça et ce ne serait pas moi qui allais en décider. Heureusement, elle travaillait encore à son ordi.

Je me suis ramassée dans un centre d'intervention contre le suicide. J'ai vu mon médecin, il a ajusté ma médication. Il m'a dit que je devais arrêter l'école. En fait, que je devais arrêter toute activité stressante. J'ai donc juste gardé mes chroniques ponctuelles sur le blogue, parce que je trouve ça important de le faire. J'aime écrire sur la mode, sur les ongles aussi. Je me suis prise au jeu et ça m'occupe ! Et j'ai des bons commentaires, vous *likez* mes articles et ça me fait chaud au cœur. Quand vous riez de mes tournures de phrases et de mes jeux de mots, ça me fait sourire. Ça veut dire que je n'ai pas tout perdu.

Mes parents m'ont toujours dit de ne pas faire aux autres ce qu'on ne voudrait pas qu'ils nous fassent.

Dimanche, j'ai été confrontée à ce que j'avais moi-même vécu quelques semaines plus tôt. J'avais tellement mal que je ne voyais pas (je m'en foutais un peu aussi) que j'allais faire du mal aux autres. Une chance que j'ai eu ma bulle au cerveau. Et le geste de mon amie, son appel à l'aide, m'a fait réaliser ce que ça fait d'être dans les souliers de l'autre, celui qui reste. Je peux vous dire que ce n'est pas *hot* pantoute.

Je suis en dépression. Voilà. Je ne trouve pas cela tabou, je ne crois pas que ce doit l'être. Je suis malade, ça ne se voit pas beaucoup. Reste que je trouverais ça bien plus facile d'avoir un plâtre autour de la tête. Ce serait plus facile de m'excuser parce que je ne sors plus le soir, que je me fatigue vite, que je n'ai aucune concentration, que j'ai de la difficulté à lire et à garder le focus et que je pleure tout le temps pour des riens.

Mais t'sais, tellement de gens sont passés par là aussi. C'est motivant de parler avec des gens qui comprennent, qui sont passés au travers. Lorsqu'on a l'impression que c'est trop lourd à porter et que jamais au grand jamais on va s'en sortir, il y a quelqu'un pour prouver le contraire. Ça fait du bien, voilà pourquoi je m'ouvre un peu à vous aujourd'hui.

Je remercie mon amie parce qu'elle est encore en vie. Et je remercie la vie de l'être encore moi aussi. Merci merci merci merci. ■

La fois où je me suis rendue à l'urgence psychosociale du CLSC

JOSIANE STRATIS

Je ne sais pas si ça vous est déjà arrivé de boire trop d'eau. Moi oui. Quand j'étais enceinte, j'avais vraiment soif, puis je faisais de la rétention d'eau *as fuck*. Je buvais donc encore plus d'eau, parce que je voulais dégonfler et être capable de porter des chaussures.

À un certain moment, c'est comme si j'étais sur un bateau. Dès que je me levais, dès que je bougeais un peu trop vite, j'avais comme le mal de mer (de mère, tudumtsi!). À mon rendez-vous de suivi de grossesse, ma médecin m'a appris que, si je buvais trop d'eau, mes électrolytes allaient être débalancés. Elle m'a dit d'augmenter mon apport en sel si je voulais continuer à boire autant d'eau. Après, je n'ai plus eu le vertige.

Deux ans plus tard, j'ai recommencé à me sentir comme ça. Sauf que cette fois-là, je ne buvais pas six litres d'eau par jour. En plus de ça, j'ai commencé à avoir des drôles de symptômes. J'avais mal au cœur. Je ne me sentais pas bien physiquement. J'avais l'impression d'avoir un poids sur mes poumons et le souffle coupé rapidement. J'étais stressée. J'avais recommencé à fumer pour essayer de faire passer mon stress, mais ça n'allait pas, mon affaire.

À un certain moment, pendant une journée de travail, je suis partie à pleurer et j'étais plus capable de m'arrêter. J'ai décidé d'aller à l'urgence psychosociale du CLSC le plus proche. J'ai stationné ma voiture, je suis montée à l'étage et j'ai dit que j'avais besoin d'aide et que j'étais plus capable. On m'a demandé d'attendre pendant qu'on trouvait quelqu'un pour moi.

Une travailleuse sociale est arrivée, pour me dire que je n'étais pas au bon CLSC. En gros, comme j'habitais à Verdun pendant ce temps-là, je devais aller pleurer à Verdun si je voulais avoir de l'aide. Comme je pleurais trop, la TS m'a dit de la suivre jusqu'aux escaliers et elle m'a demandé ce qui n'allait pas.

Je lui ai déballé mon sac. J'étais plus capable de parler à ma mère : c'était la première fois que ces mots-là sortaient de ma bouche. Je lui ai dit que j'étais chanceuse quand même, j'avais une *nice* job, un *nice* chum respectueux, un enfant super brillant avec pas de problème de santé. J'étais fatiguée. Ça me pesait fort.

La TS m'a prise par les deux épaules. Elle m'a dit une chose que je n'oublierai jamais. Elle m'a dit : «Tu sais, Josiane, t'as le droit d'arrêter de parler à ta mère si elle te rend malheureuse.» C'est *rough* d'écrire ça, là. Je ne sais pas si ma mère va lire ce texte-là un jour. Surtout, je sais aussi que certaines personnes pourraient trouver ça *too much* que je le dise, mais c'est là que j'ai décidé de ne plus parler à ma mère.

C'était la première fois que quelqu'un *sizait* aussi rapidement ce que j'avais besoin de faire. J'attendais qu'on me donne le droit de le faire. J'attendais qu'on me prenne par la main pour me dire que c'était correct de *give up* même quand les gens sont importants pour nous, parce qu'on peut pas les sauver. On a tous un mode survie, et comme le mime si bien l'agent de bord : si on doit enfiler un masque à oxygène, mieux vaut commencer par soi avant d'aider les autres. C'est logique. J'avais besoin d'un sac d'oxygène. J'ai choisi de commencer par moi.

Je ne connais pas le nom de cette TS. Je ne pourrais même pas dire à quoi elle ressemble, c'est flou, sûrement parce que j'avais les yeux pleins d'eau, mais elle m'a comme donné le droit d'être heureuse. Ça vaut pour beaucoup, même si pour elle, c'était une autre journée au bureau.

Il n'y a pas de petites demandes d'aide, y'a juste des personnes qui ne demandent pas assez d'aide. Ça fait du bien de le faire. Promis. ∎

Le répertoire santé du Québec : www.indexsante.ca

Camille, 26 ans

Ton petit *look* féministe

EST-CE QUE TU VIENS D'UN MILIEU FÉMINISTE?

Revendiqué comme féministe, non, mais portant des valeurs féministes, oui.

EST-CE QUE TU AS COMMENCÉ À TE MAQUILLER JEUNE? SI OUI OU SI NON, POURQUOI?

Quand j'étais jeune, probablement vers dix-onze ans, j'ai reçu un petit kit de maquillage dans une mallette en métal. Il y avait du *glitter* partout! Je l'associe à des souvenirs très positifs, à des après-midi avec mes amies à écouter nos cassettes préférées et à se fabriquer des costumes. J'ai (re)commencé à me maquiller à l'adolescence, quand j'étais *goth*, avec du maquillage noir et rouge surtout, et ce que je pouvais bien trouver à la pharmacie de mon coin de banlieue. À ce moment-là, le maquillage servait surtout à exprimer ma singularité – ou du moins, celle que j'essayais de me donner!

EST-CE QUE TU AS MILITÉ PAS MAL DANS TA VIE?

On peut dire ça. Je suis passée par plusieurs milieux: étudiant, syndical, féministe, etc.

EST-CE QUE LES GROUPES MILITANTS SONT DES ESPACES OÙ LES FEMMES SONT BIEN ACCUEILLIES?

Ça dépend. Même si ça reste extrêmement difficile pour les femmes à plusieurs endroits, j'ai l'impression qu'on est dans une période où plusieurs milieux se transforment à la suite des pressions exercées par les militantes. Il reste beaucoup de travail à faire, et j'ai moi-même vécu des expériences frustrantes et décevantes... À mon avis, la division sexuelle du travail reste très marquée dans plusieurs groupes. C'est-à-dire que les femmes se retrouvent avec les tâches ingrates (comme les tâches administratives ou la coordination) dont les hommes ne veulent pas, elles obtiennent moins de visibilité, et elles font beaucoup plus de travail lié au soutien affectif et à la logistique.

EST-CE QUE LES FÉMINISTES ONT LE DROIT DE SE MAQUILLER?

J'espère! Ça m'énerve, les questions du genre «peut-on être féministe et faire/être X?» ou les remarques comme «t'es féministe pis tu te maquilles?!». On se bat justement pour qu'on cesse de nous dire quoi faire et quoi ne pas faire. Je pense qu'on peut lutter collectivement pour que notre «valeur» cesse de passer par le regard des hommes, pour qu'on ne subisse plus de pressions par rapport à notre apparence, à certains standards... Même si je suis critique de l'industrie de la mode et des cosmétiques, le fait de me maquiller n'invalide ou ne dilue pas mon féminisme.

QU'EST-CE QUI FAIT QUE LE MAQUILLAGE PEUT AVOIR UN EFFET D'*EMPOWERMENT*?

Personnellement, je ne le vois pas comme une prise de pouvoir, mais comme un truc que je fais, point. J'aime parler de maquillage, j'aime échanger des trucs avec mes ami-e-s, mais je n'y vois pas quelque chose de politique ou de féministe. Pour certaines personnes, ça peut avoir un effet d'*empowerment*. Le rapport que chaque personne entretient avec le maquillage est complexe et différent, mais ça dépend de plusieurs facteurs et je ne souscris pas au *girl power* en général.

COMMENT TU TE SENS QUAND TU TE MAQUILLES?

Je suis une personne assez occupée en général et je prends rarement le temps de souffler, de ne rien faire, ou de m'écraser pour *binge-watcher* une série sur Netflix. J'associe le fait de me maquiller à un moment de pause que je prends pour être créative avec ma face. Je ne me maquille pas pour mon chum, ni pour «les hommes», ni pour impressionner qui que ce soit, mais parce que ça me tente, et je le fais quand ça me tente et comment ça me tente. Je ne cherche pas à attirer l'attention non plus. Ça m'agace quand un inconnu se permet de commenter mon maquillage.

COMMENT TU TE SENS QUAND TU NE TE MAQUILLES PAS ?

Je ne sens pas qu'il me manque quelque chose et je ne me sens pas moins jolie si je ne porte pas de maquillage. Étonnement, le maquillage m'a permis d'aimer davantage mes traits en général, y compris quand je ne suis pas maquillée. Par contre, je suis consciente que pour certaines personnes qui sont moins à l'aise avec leur apparence ou qui fittent moins dans les standards, c'est beaucoup moins évident.

À QUOI LES FEMMES DOIVENT-ELLES FAIRE ATTENTION DANS LEUR RAPPORT AU MAQUILLAGE ?

C'est important de réussir à se décharger, individuellement et collectivement, des standards de beauté (couleur de peau, taille, poids, condition dermatologique, condition physique, etc.) et du regard de l'autre – souvent masculin. Et aussi, c'est important d'arriver à utiliser le maquillage par choix, et non par obligation. Mais je sais que c'est complexe et que le rapport social à la beauté est lié à plusieurs oppressions (patriarcat, racisme, hétéronormativité, cissexisme, capacitisme, etc.), et non uniquement à des préférences personnelles.

EST-CE QU'ON PEUT ÊTRE MILITANTE ET HEUREUSE, TU PENSES ?

Militer est une façon de réussir à vivre dans un monde qui nous semble inacceptable. Même si ça peut être psychologiquement drainant et physiquement épuisant, je ne vois pas comment je pourrais faire autrement. Ça m'a pris quelques années avant de connaître mes limites et d'apprendre à dire non. Mais c'est aussi en militant que j'ai rencontré les personnes les plus extraordinaires !

EST-CE QUE LES FILLES SONT FOLLES ?

Le dernier qui a dit ça (Bob Bissonnette) est décédé. :o

Je pense qu'on peut lutter collectivement pour que notre « valeur » cesse de passer par le regard des hommes, pour qu'on ne subisse plus de pressions par rapport à notre apparence, à certains standards...

23

Non, ce n'est pas méchant si je te dis que tu devrais consulter

CAROLANE STRATIS

Peut-être que c'est la façon la plus facile d'aider ceux qui ont besoin d'une aide qui dépasse celle que je peux offrir. Peut-être parce qu'on m'a longtemps empêchée de consulter malgré les crises et les larmes. Peut-être parce que je pense que ça m'a sauvé la vie. Alors, quand je te dis que tu devrais consulter / aller rencontrer un psychologue / un psychiatre / un travailleur social/ un docteur / etc., ce n'est pas méchant. Jamais. C'est pour t'aider.

Si une personne que je connais se casse un bras, sans hésiter je vais lui dire tout de go d'aller à l'hôpital pour rencontrer les spécialistes qui pourront réparer son corps. J'aimerais qu'on m'explique pourquoi ce n'est pas aussi naturel de le faire avec les maladies mentales. Est-ce que c'est parce que ce sont des maladies invisibles ? Je ne pense pas, parce que mes amies qui sont aux prises avec le diabète, des douleurs chroniques ou *name it*, elles se font toujours dire d'aller voir un spécialiste.

Je pense que ça a plus à voir avec le fait que *#LesGens* pensent encore que les maladies mentales n'existent pas ou sont la preuve d'une faiblesse quelconque. Pourtant, j'estime qu'une personne qui va chercher de l'aide et qui s'arrange pour trouver des moyens pour aller mieux est ultra-courageuse. J'aime beaucoup mieux savoir que la santé mentale d'une personne malade est entre les mains de quelqu'un qui va être capable de trouver, avec elle, les bons moyens de s'en sortir. Je ne voudrais pas que les personnes qui me tiennent à cœur reçoivent des conseils d'amateurs et mettent ainsi leur vie en péril. J'ai l'air *drama queen* et je le suis ! HA !

De toute façon, ce n'est pas vrai que tout finit toujours par se régler et que le temps panse toutes les blessures. Ce n'est pas vrai que les maladies mentales sont une invention ou une excuse pour paresser. Ce n'est pas vrai que je te conseille de voir un psy parce que je te pense faible. Ce n'est pas une insulte non plus.

Anyway, si c'est insultant de dire à quelqu'un d'aller chercher de l'aide pour aller mieux, je vais continuer de le faire quand même. Je suis méchante de même dans la vie. Une fille égoïste qui veut que les gens autour d'elle soient bien ! ∎

Ordre des psychologues du Québec :
www.ordrepsy.qc.ca

Des méthodes pour aider qu'on n'apprend pas dans les livres – sauf dans celui-ci !

CAROLANE STRATIS

C'est quand même drôle, parce qu'à la minute où j'ai commencé à aller vraiment mal, j'ai essayé le plus possible de m'arranger toute seule. Je ne voulais pas déranger. Pourtant, mes amies voulaient tout simplement me rendre la pareille, pour toutes les fois où je les avais aidées. Mais on fait comment pour aider une personne qui ne veut pas s'aider ?

La méthode subtile

Ce n'est pas la meilleure méthode, mais c'est la plus *soft*. Ce n'est pas la plus efficace non plus, mais elle peut fonctionner. Pis quand une personne ne veut pas s'aider, ça peut être un bon début.

La méthode subtile consiste à faire du genre de renforcement positif pour qu'une personne aille chercher de l'aide. Demander «comment ça va ?» alors que la conversation est déjà entamée, ça peut être un bon départ (au début d'une conversation, on aura tendance à répondre automatiquement «ça va bien, et toi ?»). Si vous laissez l'autre personne verbaliser son mal-être, cela peut l'aider à comprendre par elle-même que ça ne va pas. Puis, en étant à l'écoute, vous pouvez trouver le parfait moment pour glisser un mot sur une consultation avec un psy ou un docteur. C'est du doux pour les plus mous.

La méthode sympathique avec empathie, ou «fais ce que je te dis parce que je l'ai fait»

La méthode sympathique est l'une des plus répandues, sans que personne s'en rende compte. C'est le principe du «ben moi, je...». Encore ici, la personne ne doit pas être trop avancée dans son mal-être, sinon les chances de réussite sont grandement diminuées. Il y a deux manières d'utiliser cette méthode, la bonne et la mauvaise. Commençons par la mauvaise, parce que c'est la plus commune. La plupart du temps, c'est ce qu'on lit sur les commentaires d'un blogue après, par exemple, un texte crève-cœur : «Ben moi, j'ai vécu ça et j'ai fait telle affaire pour m'en sortir», «Ben, moi, je me suis fait faire telle chose en étant jeune et j'ai pas...»

Ne faites pas ça. Ce qu'une personne vit n'a rien à voir avec ce que vous avez vécu. Cessez !

La bonne façon, c'est de dire que vous comprenez, que vous avez vécu des moments *tough* et que des fois, la meilleure façon de s'en sortir c'est d'accepter de l'aide. Vous pouvez sympathiser, avec empathie. Parlez de vos expériences pour permettre à l'autre de s'ouvrir, pour ne pas l'inciter à se fermer ou à se comparer. C'est un *level 2* dans l'entraide, mettons.

La méthode «je te prends par la main» ou «je te fais un *lift*»

Si vous demandez à une personne ce que vous pouvez faire pour l'aider et que ce qu'elle vous répond ne vous paraît pas possible dans le meilleur de vos capacités, rien ne vous empêche de lui prendre la main pour la mener vers de l'aide plus adéquate. Elle a besoin d'un *lift* pour aller à l'hôpital ? Donnez-lui ce *lift*. Elle a besoin d'une présence pour trouver la force d'appeler son médecin ? Soyez à côté d'elle. Notez même le rendez-vous pour lui faire le rappel ou vous assurer qu'elle va y aller. C'est un peu maternant, et c'est le but.

La méthode directive

C'est une technique confrontante qui ne fonctionne pas toujours ou pas avec tout le monde. C'est quand même une façon essentielle de faire passer un message ou d'empêcher la personne de faire de quoi de grave. Pas besoin de gants blancs, vous y allez texto. Tu as besoin d'aide ? On va aller en chercher tout de suite. Prépare-toi, on s'en va à l'hôpital. Je m'en viens chez vous. Des fois, ça ne marche pas, genre si vous lancez un ultimatum, surtout avec des problèmes de consommation. Disons que c'est l'étape avant la dernière.

Le lâcher-prise

Des fois, ça arrive que les personnes qui ont besoin d'aide ne veulent pas d'aide. Les maladies mentales ont ça de poche : il arrive qu'on en vienne à se sentir complètement dépassé par la maladie, comme il est possible de penser que ça ne vaut pas la peine. Vous avez le droit de mettre vos limites et de faire en sorte que vous ne coulez pas avec la personne que vous voulez aider. Ce n'est pas que vous ne l'aimez plus, c'est que vous avez atteint la limite de ce que vous pouvez supporter. C'est correct, aussi. ∎

Elle a besoin d'un lift *pour aller à l'hôpital ? Donnez-lui ce* lift. *Elle a besoin d'une présence pour trouver la force d'appeler son médecin ? Soyez à côté d'elle.*

Audrey, 27 ans

Ton petit trouble obsessif compulsif

QUEL ÂGE AVAIS-TU QUAND TU AS EU TON DIAGNOSTIC ?

J'ai eu mon diagnostic à l'été de mes vingt-deux ans, alors que je m'apprêtais à commencer ma troisième année d'université.

QUEL ÉLÉMENT DÉCLENCHEUR T'A FAIT CHERCHER DE L'AIDE ?

À un certain point, je ne dormais plus, j'étais trop angoissée pour manger, et sortir en public me terrorisait. Chaque jour, le transport en commun pour aller à mon travail d'été et en revenir était une torture. J'étais certaine que les pires malheurs de la terre allaient s'abattre sur moi et sur ceux qui m'étaient chers. Les rituels que j'effectuais compulsivement pour essayer d'apaiser mon angoisse me faisaient perdre des heures par jour. Incapable de continuer à gérer tout ça intérieurement, j'ai fini par en parler à mon copain de l'époque et à mes parents, qui m'ont obligée à me rendre à l'hôpital. J'ai passé la nuit en isolement à l'unité psychiatrique et je n'ai vu un médecin que le lendemain matin.

COMMENT AS-TU REÇU LA NOUVELLE QUE TU AVAIS UNE MALADIE MENTALE ?

Ce n'était pas vraiment une surprise, car je savais qu'il y avait quelque chose qui n'allait plus du tout mentalement, chez moi. Par contre, le fait d'avoir un diagnostic m'a permis de légitimer mon mal-être, de me faire prendre au sérieux par mon entourage et d'aller chercher l'aide appropriée.

QUELLE A ÉTÉ LA RÉACTION DE TON ENTOURAGE ?

Mes parents et mon copain de l'époque m'ont beaucoup soutenue et se sont relayés pour que je sois toujours bien entourée. Ils ont fait leur possible pour me faciliter la vie, et je leur en suis très reconnaissante. Malgré tout, encore aujourd'hui, j'ai parfois l'impression d'être incomprise. Lorsque je ne vais pas bien, on dirait que certaines personnes pensent que je fais le choix de broyer du noir ou de refuser de faire des activités, alors qu'en réalité, c'est la maladie qui me fait agir ainsi.

COMMENT VIS-TU TA MALADIE ?

Le trouble obsessif compulsif est une maladie qui peut se gérer, mais qui ne peut pas se guérir ; je vais donc en souffrir toute ma vie. Personnellement, pour réduire mes symptômes autant que je peux, je dois avoir un mode de vie exemplaire : éviter l'alcool, faire de l'exercice, avoir un minimum de huit heures de sommeil, suivre une routine, etc. Dès que je déroge à mes bonnes habitudes, ma santé mentale en prend un coup.

QUEL A ÉTÉ TON TRAITEMENT ?

Je prends des antidépresseurs chaque jour depuis cinq ans (il n'existe pas de médicaments conçus spécialement pour le TOC ; on prescrit communément des antidépresseurs de type ISRS, les «inhibiteurs sélectifs du recaptage de la sérotonine»). Puisque trouver la molécule et la dose qui fonctionnent est parfois un long processus, j'en suis à mon troisième médicament différent. Pendant mes études, j'avais des rendez-vous réguliers en psychiatrie à l'université, mais j'ai un peu l'impression d'avoir «fait le tour» côté thérapie, alors je ne vois personne en ce moment.

PARLE-MOI DE TA MALADIE DANS UNE JOURNÉE ORDINAIRE.

Mes symptômes sont vraiment plus faciles à gérer qu'avant, mais certains persistent. Immanquablement, je vérifie toujours plusieurs fois avoir bien barré la porte en sortant de chez moi et en revenant le soir. Il n'est pas rare que je retourne sur mes pas pour vérifier, même si je sais pertinemment que la porte est barrée. J'ai parfois des pensées intrusives que je n'arrive pas à me sortir de la tête, et j'ai toujours l'impression que mon cerveau fonctionne à 100 milles à l'heure. Finalement, je dois prendre mes médicaments chaque soir, sinon j'ai des symptômes de sevrage dès le lendemain qui m'empêchent carrément de fonctionner.

QUELLE EST LA CHOSE LA PLUS POSITIVE QUE LA MALADIE T'A APPORTÉE ?

Je suis fière de tout ce que j'ai réussi à accomplir malgré la maladie. C'est réconfortant pour moi de regarder en arrière et de me dire que je n'ai pas laissé mon TOC me vaincre ou me définir. Tomber malade m'a aussi poussée à mieux prendre soin de moi et à réévaluer mes priorités. Maintenant, j'essaie de penser à mes besoins et de faire des choses pour moi, au lieu d'essayer de plaire aux autres avant tout.

LA PLUS NÉGATIVE ?

Au comble de mon angoisse, j'ai commencé à manger mes émotions et j'ai développé un trouble alimentaire d'hyperphagie. J'ai pris environ 100 livres, et j'ai aussi pris de mauvaises habitudes alimentaires qui font que je peine à revenir à un poids santé. Encore aujourd'hui, j'ai du mal à me retenir de manger compulsivement quand je suis dans une mauvaise passe. J'essaie d'être bien dans ma peau, mais j'ai vraiment honte de mon apparence physique et je voudrais ressembler à celle que j'étais avant de tomber malade.

EST-CE QUE TU EN PARLES OUVERTEMENT ?

J'en parle aux autres collaboratrices de *Ton Petit Look*, à ma famille et à mes amis proches, mais je me sentirais très mal à l'aise d'en parler avec des gens que je ne connais pas ou à mes collègues de travail. Il y a malheureusement encore trop de stéréotypes négatifs concernant les personnes atteintes de maladie mentale, et je n'ai pas envie de me faire dire que tout ça est dans ma tête (!!!) ou que je suis une personne faible ou instable. Je sais que ce n'est pas vrai, mais je sais qu'encore trop de gens pensent comme ça.

COMMENT ÇA VA AUJOURD'HUI ?

Je deviens facilement déprimée quand je pense au fait que je vivrai probablement avec un TOC toute ma vie, ou encore quand je pense aux conséquences négatives de la maladie sur ma vie. Néanmoins, j'essaie de ne pas trop m'apitoyer sur mon sort, car je sais qu'il y a des gens qui ont vécu des épreuves beaucoup plus difficiles que la mienne. En suivant une routine et en prenant bien soin de ma santé mentale et physique, je mets les chances de mon côté pour vivre une vie aussi heureuse que possible et avoir le dessus sur la maladie mentale.

EST-CE QUE TU PENSES QUE TOUTES LES FILLES SONT FOLLES ?

Filles ou pas, je pense que toutes les personnes auront à faire face à la maladie mentale un jour, qu'ils en soient atteints personnellement ou qu'un proche le soit. Il est temps d'en parler et de faire accepter la maladie mentale, pour que les gens n'aient plus peur d'aller chercher l'aide dont ils ont besoin. Une personne atteinte d'une maladie mentale, ce n'est pas une personne faible ; c'est quelqu'un avec une détermination admirable qui se bat chaque jour pour survivre dans un monde qui lui est trop souvent indifférent.

Il y a malheureusement encore trop de stéréotypes négatifs concernant les personnes atteintes de maladie mentale, et je n'ai pas envie de me faire dire que tout ça est dans ma tête (!!!) ou que je suis une personne faible ou instable.

Une question de limites

CAROLANE STRATIS

J'ai longtemps été de celles qui étaient très impressionnées par l'intelligence des autres. Comme j'avais « juste » une technique en mode, j'avais toujours l'impression que mon opinion était moins valable que celle des autres.

Quand nous avons lancé *Ton Petit Look* en 2010, que j'étais sans emploi, de retour sur les bancs de l'école, je ne parlais pas souvent de mon projet à mes amis, parce que j'avais l'impression que ce n'était pas valable comme expérience.

J'ai vieilli, nos sites se sont positionnés parmi les plus lus au Québec (dans leurs créneaux), nous avons gagné moult prix et j'ai fait pas mal de cheminement avec ma psychologue, aussi. Maintenant, je suis capable de défendre bec et ongles (vernis!) mes opinions et la validité de ce que je vaux et de ce que je fais.

Mais encore là, c'est plus facile à dire qu'à faire. Exemple :

Je suis avec mon chum et nous sommes exténués par la vie en général et par un nouvel ajout à la famille en particulier. Nous nous chicanons pour une niaiserie et puis, d'une vacherie à une autre, il invalide mon travail (je dis aussi quelque chose de blessant en retour). Je dis : « Stop. » Ça va faire, je n'ai pas envie d'aller là. Ça ne sert à rien de continuer la discussion, *anyway*. Point de non-retour. Je dis : « On se parle plus tard. » Je sors de la pièce.

Évidemment que je pleure. Je laisse le méchant sortir, j'écris à ma sœur, j'écoute de la musique, j'essaie de me changer les idées. Au matin, j'écris à mon chum, j'explique que c'est blessant pour nous deux et que c'est important de ne pas aller là dans nos chicanes.

Excuses.

Ça m'arrive aussi de faire ça avec des connaissances. Je dis juste : « Regarde, je ne suis pas d'accord et je n'ai vraiment pas le goût d'expliquer encore une fois pourquoi. » La plupart des gens comprennent. Tant mieux, parce que dans mes jeunes années, j'ai lancé des verres pour moins que ça !

Je le fais aussi sur mes réseaux sociaux. Je le dis d'office : ma page, mes règles. Si la personne ne comprend pas, j'*unfriend* et je bloque. Pas le temps de niaiser.

Des fois, c'est correct d'être confronté à d'autres idées, mais si ça en vient à vous ébranler au point d'atteindre votre estime de soi, *nobody's got time for that*. Point barre. ∎

Ève-Audrey, 25 ans

Ta petite « mauvaise humeur » (dysthymie)

QUEL ÂGE AVAIS-TU QUAND TU AS EU TON DIAGNOSTIC ?

Je n'ai pas eu de diagnostic précis avant l'âge de dix-neuf ans. J'ai consulté, de douze à dix-huit ans, divers professionnels de la santé mentale, sans toutefois que nous arrivions à un constat précis. C'est en 2010 que dysthymie s'est révélé être le mot qui nomme mes périodes sombres.

QUEL ÉLÉMENT DÉCLENCHEUR T'A FAIT CHERCHER DE L'AIDE ?

Je pense que j'ai toujours été une personne très mélancolique. J'ai toujours été timide, réservée. C'est à ma quatrième année du secondaire que les symptômes de la dysthymie de sont manifestés. J'avais un discours très noir, je dirais même suicidaire. J'étais très souvent contrariée, sans justification. J'ai commencé par consulter la travailleuse sociale de mon école, qui était la personne responsable du soutien psychologique. Mais c'est dans mes crises dépressives que j'ai dû aller véritablement chercher de l'aide. Ma mère m'a dit : « Si tu t'aides pas pour toi, fais-le pour moi, je suis plus capable. » J'étais au plus bas dans mon trouble. Je suis allée consulter divers psychiatres. On a fait des évaluations, et ils en sont venus à la conclusion que je présentais les symptômes caractéristiques de la dysthymie (humeur dépressive sur de longues périodes, manque d'énergie, fatigue, faible estime de soi, sentiment de désespoir).

COMMENT AS-TU REÇU LA NOUVELLE QUE TU AVAIS UNE MALADIE MENTALE ?

Ça ne m'a pas jetée à terre. Je me doutais qu'on arriverait à un consensus pour dire que je souffrais d'une maladie mentale. Je m'en suis même sentie soulagée, car j'ai réalisé à ce moment qu'il existait des pistes de solution pour moi. Que je n'étais pas seule non plus. Qu'il y avait une explication scientifique et rationnelle derrière tout ce mal abstrait.

QUELLE A ÉTÉ LA RÉACTION DE TON ENTOURAGE ?

J'en ai toujours peu parlé, au fil des années. C'est avec ma mère que j'en parle le plus. Elle n'en a pas fait tout un plat. On s'est dit : « Bon, il y a ça, et on va prendre le taureau par les cornes. » Pour les autres, j'ai été plutôt nébuleuse. J'ai exprimé à quelques reprises que j'étais dépressive, sans toutefois entrer dans les détails.

COMMENT VIS-TU AVEC TA MALADIE ?

Je me fatigue rapidement. La dysthymie a ça de très problématique : c'est une mini-dépression qui dure très, très longtemps. Parfois, je manque de motivation ; juste sortir de chez moi, de ma (très restreinte) zone de confort me demande toute l'énergie dont je suis capable. Autrefois, je vivais beaucoup d'insécurité, beaucoup de déprime, beaucoup de mélancolie. Je dirais qu'aujourd'hui, six ans après la tombée du diagnostic, mes épisodes dépressifs sont beaucoup plus teintés d'indifférence. De manque de motivation, oui, et de beaucoup de détachement.

QUEL A ÉTÉ TON TRAITEMENT ?

Les premiers temps, j'ai pris une médication sur une base régulière. Mais je dirais que ma tête était tellement en désordre que je ne prenais pas la médication au sérieux. Je sautais des doses, je les prenais puis ne les prenais plus pendant de longues périodes. J'ai finalement arrêté d'en prendre pendant quatre ans, où j'ai tenté tant bien que mal de gérer mes émotions et mes épisodes dépressifs par la pensée. Je ne le conseille pas nécessairement. Je voyais la prise de médicaments comme une faiblesse. Ensuite, j'ai eu un épisode assez sombre au début de 2016 et je n'ai pas hésité une seconde à aller voir mon médecin. Je pensais que j'étais tirée d'affaire après tout ce temps sans médication. On a élaboré un plan d'attaque. Je prends à nouveau de la médication pour contrer les effets négatifs de la dysthymie. Elle agit pour reconnecter les neurotransmetteurs de la sérotonine. Ça me donne un certain équilibre, si vous voulez. Je n'ai jamais suivi de thérapie, faute de patience vis-à-vis des longues listes d'attente. Et à cause de mon salaire d'étudiante. Mais, pour l'instant, ça va, je suis bien entourée.

RACONTE-MOI UNE JOURNÉE ORDINAIRE À CÔTOYER LA MALADIE.

Ce n'est jamais vraiment la même chose. Parfois j'ai de bonnes journées et je me couche avec le sentiment d'accomplissement. Puis je peux me réveiller le lendemain en fixant le plafond. En ayant zéro envie de me lever et d'affronter le monde extérieur. Comme je disais, je vis plutôt un « vide », un manque d'intérêt envers les autres et envers moi. Ce sont mes pires journées, car je n'arrive pas à accomplir la moindre tâche. Quand j'arrive à me lever, j'ai du mal à me concentrer dans mes cours, je n'ai pas envie d'aller travailler, de côtoyer des gens. J'ai envie de m'effacer. Je me dis tout le temps : « À quoi bon ? » Dans ces moments-là, j'essaie d'ignorer mon diagnostic.

QUELLE EST LA CHOSE LA PLUS POSITIVE QUE TA MALADIE T'A APPORTÉE ?

Probablement l'écoute. Je pense que je suis une personne qui arrive à cerner ce qui se dit entre les lignes. J'ai une capacité d'analyse qui s'est développée avec le temps. Pour bien comprendre ma maladie, il a fallu que je m'informe, que je comprenne comment elle fonctionne afin de mieux la cerner et de mieux l'empêcher d'avoir un pouvoir coercitif sur moi. Je pense que ça m'a permis de mieux comprendre les autres et de mieux savoir comment les écouter.

LA PLUS NÉGATIVE ?

Oh... Probablement l'impulsivité que ça m'a apportée. Pendant longtemps, j'ai laissé ma maladie faire des choix à ma place. Je ne réfléchissais pas, je laissais mes émotions dicter ma pensée. Probablement que j'ai perdu des amitiés précieuses, ou que mes propos ont été mal interprétés par certaines personnes. J'ai été explosive, j'ai claqué plusieurs portes parce que je me sentais incomprise. Ça m'a pas aidée.

EST-CE QUE TU EN PARLES OUVERTEMENT ?

Ironiquement, je devrais en parler aujourd'hui, mais non. Pas que j'aie honte, mais j'ai toujours peur de cette étiquette. J'ai encore l'impression qu'aujourd'hui, quand on parle de maladie mentale, on associe directement l'expression à un asile de fous. À la faiblesse. Je ne suis pas la dysthymie, je suis moi. J'ai des faiblesses, comme tout le monde. J'ai pas envie, dans une passe difficile, qu'on

me dise : « Ah, mais ça doit être ta maladie mentale qui te fait ça ! » Oui, ça se peut, sauf que c'est peut-être pas ça non plus. C'est un peu comme quand une femme est en colère et qu'on lui dit : « Coudonc, t'es-tu menstruée ? » Je pense qu'on a encore du chemin à faire pour vaincre les tabous entourant la maladie mentale. Moi, les neuro-transmetteurs de mon cerveau ne fonctionnement pas selon « la norme ». Pis c'est correct. Il y a aussi que je me sens coupable parfois, parce qu'il y a des gens qui ont des problèmes plus sévères que les miens.

COMMENT ÇA VA ?

Comme ci comme ça ! Je suis dans une période un peu nébuleuse de ma vie. Je termine mon baccalauréat à l'automne, je ne sais pas trop ce que je fais ensuite, je n'y ai pas vraiment pensé. Je suis rendue là, à essayer de sortir de ma coquille, de ma gêne extrême. Ça me fout la chienne. Alors, des journées, ça va. D'autres moins.

EST-CE QUE TU PENSES QUE TOUTES LES FILLES SONT FOLLES ?

La folie est un concept vague, dans lequel on essaie de faire rentrer toutes sortes de comportements qui ne sont pas considérés comme normaux, ou encore qui sont interprétés comme marginaux. Quelle est la folie, au juste ? Parler trop fort ? Pleurer tout le temps ? Être trop ambitieuse ? Être asociale ? Dépressive ? Anxieuse ? Excitée ? C'est tellement rendu banal de traiter une fille de folle ! Si je suis folle, tant mieux, je suis parfaite comme ça. Je pense qu'on a toutes une folie ordinaire qui nous façonne et qui nous rend uniques. C'est la beauté du cerveau : des connexions infinies qui nous régissent en tant qu'êtres humains, dans notre singularité complexe et mystérieuse.

J'ai mauvais caractère

JOSIANE STRATIS

Je ne sais pas si c'est juste que j'aime particulièrement la chicane, ou si je suis trop sensible aux gens qui font des affaires pas *legit*, mais j'ai la réputation d'avoir mauvais caractère.

Ça va, j'ai l'habitude et ça ne me dérange même pas. J'ai vécu ma jeunesse en me faisant comparer avec ma sœur, en voyant les gens chercher qui était la méchante ou la gentille jumelle (*breaking news*, c'était chacune notre tour), alors me faire traiter de méchante parce que je n'aime pas les pratiques d'une personne ou parce que je ne veux pas être amie avec une autre, je m'en fous un peu.

Je crois qu'on s'attend à ce qu'une fille soit gentille avec toutes les autres personnes. Il ne faut surtout pas qu'elle soit critique, sinon elle est jalouse de *whatever* ce que l'autre personne a de plus qu'elle. Si une femme n'est pas d'accord avec une autre, c'est parce qu'elle est SPM et qu'elle est une enragée. Elle a dû mal dormir, elle est trop pleine d'hormones, comme si la colère devait être juste une affaire de pénis. Comme si les filles n'avaient pas le droit de mettre leurs limites et devaient essayer de faire plaisir à tout le monde qui les entoure, et surtout, d'être plaisantes avec tout le monde.

Moi, j'ai choisi de mettre mes limites. J'ai décidé de ne pas accepter de traîner avec des personnes qui ont des mauvaises pratiques dans le cadre de leur travail. J'ai décidé de ne pas accepter de me faire piler sur la tête, j'ai décidé aussi que ce n'est pas vrai que je vais m'écraser quand on me tape dessus. J'ai décidé d'être une *fighteuse*, même si c'est fatigant. J'ai décidé que j'allais être une personne critique (mais juste), même si ce n'est pas le fun à faire. J'ai décidé que même si je passais pour la méchante, j'allais vivre selon mes convictions. J'ai surtout décidé que ça ne me dérangeait pas de déranger. J'ai décidé d'attaquer les problèmes et de ne pas baisser les bras.

Je vous mentirais si je vous disais que c'est pas super *tough* des fois. Surtout quand une personne à qui j'adresse une critique joue à la victime. Ça m'arrive deux fois par année. Ça m'énerve, mais je comprends qu'on a été socialisés de cette façon-là. Dans ce temps-là, j'essaie de me répéter ce que Michelle Obama a dit un jour : « *When they go low, we go high.* » Je continue de faire mes petites affaires, mais je n'en laisse pas passer une.

Exemple, une fois, j'étais serveuse dans un restaurant et je trouvais ça injuste de donner 30 % de mon pourboire pour pallier le fait que les cuisiniers étaient mal payés. J'ai appelé les normes du travail et j'ai fait en sorte que tout le monde ait sa juste part, et qu'on donne un pourcentage plus équitable de notre pourboire. Bien sûr, les cuisiniers et les patrons n'étaient pas trop contents, mais je savais que ce genre de pratique était très discutable (donner 30 % du total de son pourboire, *I mean*). Après coup, on m'a dit que j'allais devenir préposée au café, alors j'ai donné ma démission. Comme la convention de partage des pourboires était signée, j'avais fait ce que je pensais être la meilleure chose. Puis j'ai décidé de partir pour ne pas subir le *backslash*.

Peu à peu, quand j'ai commencé à devenir la personne que je voulais être, ce côté-là de ma personnalité est ressorti. Je suis donc une personne qui met rapidement ses limites. Je me suis vite rendu compte que ça ne servait à rien de ne pas les mettre, mes limites. Je me suis rendu compte que je vivais mal avec les injustices. Je me suis dit que j'allais jouer la carte de l'authenticité, même si ce n'est pas facile tout le temps.

Le plus important, c'est que je me suis aussi juré que s'il le fallait, j'allais toujours être capable de dire ce que je pense à une personne quand je le pense et quand je suis prête à lui dire. Je me suis aussi promis que je n'allais jamais pédaler pour deux personnes ; ni dans une relation d'affaires ni en amitié.

Si le fait que je respecte mes valeurs et mes convictions, en plus de respecter mes limites, fait de moi une personne qui a un mauvais caractère et qui est *stuck-up*, c'est correct. J'aime 100 fois mieux être bien avec moi-même et vivre avec des gens qui me détestent que de me haïr pour qu'on m'aime. ∎

J'ai décidé de ne pas accepter de me faire piler sur la tête, j'ai décidé aussi que ce n'est pas vrai que je vais m'écraser quand on me tape dessus.

Folle, OK, mais pas conne, svp

JOSIANE STRATIS

Si on compte rapidement, je passe minimum 300 jours par année avec une personne qui souffre d'une maladie mentale. Carolane aime bien dire qu'elle est folle pour déranger les autres / les rendre mal à l'aise. Moi, j'aime bien dire qu'elle est folle, mais pas conne. Je vous explique.

En février 2017, Carolane a fêté ses cinq ans de maladie mentale. Party. *Joke*. Et les cinq dernières années, nous avons appris un paquet d'affaires, comme le fait que ce n'est pas parce qu'une personne a une maladie mentale que ça lui donne le droit d'agir n'importe comment ou de faire de la peine à tout le monde, d'avoir des comportements violents envers les autres, bref, que ce n'est pas parce qu'une personne est « folle » qu'elle doit être conne.

Quand on parle ouvertement de santé mentale (le *on*, c'est pour le blogue, pour moi et pour Carolane), c'est normal de voir certaines personnes s'ouvrir sur le fait qu'elles ont elles aussi une histoire de vie douloureuse, ou une maladie mentale, ou une autre maladie, c'est super correct. Des fois, on ouvre la porte et on laisse la personne entrer avec sa douleur et tout ce qui vient avec.

C'est sûr qu'il y a une partie de Carolane et moi qui voudrait vraiment sauver tout le monde. Ça nous ferait trop plaisir, sans blague. Ça nous aiderait même à passer au travers de la vie.

Mais parfois, c'est difficile. Combien de fois j'ai vu des personnes adopter des comportements destructeurs sous prétexte qu'elles avaient une maladie mentale. Combien de fois des personnes ont mis le poids de leur peine sur les épaules de Carolane parce qu'elles avaient besoin d'aide. Combien de fois j'ai vu des personnes choisir de ne pas se soigner parce qu'elles pensaient être plus fortes que ça ! Sans parler de toutes les personnes qui s'autodiagnostiquent un paquet d'affaires, juste parce que ça justifie leurs comportements.

Aller chercher de l'aide, c'est super difficile, sans blague. Essayer de passer au travers d'une dépression, c'est vraiment difficile aussi. Sauf que personne ne peut le faire pour vous. Et ça ne vous donne pas le droit d'être méchants, ça ne vous donne pas le droit de faire passer votre colère sur les autres, ça ne vous donne pas le droit de tenir des propos dégradants sur quelqu'un ni de dire n'importe quoi. C'est important de ne pas projeter sa souffrance sur les autres, parce que, je m'excuse, mais ils n'en sont pas responsables.

Bref, avoir une maladie mentale, ce n'est pas un laissez-passer pour être conne avec les autres, mais c'est une belle occasion d'apprendre à vivre mieux avec soi-même surtout, et peut-être aussi avec les autres. ∎

L'alcool et les antidépresseurs, c'est rarement un bon mix

CAROLANE STRATIS

Tout ce qui touche à l'alcool est tabou. On dirait qu'on ne peut jamais dénoncer le fait que des gens en abusent ou en consomment un peu trop, tout le temps. C'est trop dans les us et coutumes, c'est trop courant, trop banal. Chaque fois que je parle de ma non-consommation, que je pose des questions à des gens qui en consomment encore ou que je fais une remarque, on monte aux barricades. Touchez pas à mon sacro-saint *vindredi*, à ma bière d'après-match, à mon scotch de fin de soirée. Faudrait surtout pas en parler, non.

Dimanche après-midi, je reviens de faire les courses. Je prépare le souper, mes enfants sont en train de s'amuser à faire je ne sais pas quoi mais pas leur sieste. Je mets tout mon soûl dans ma cuisine, je fais le meilleur repas du monde. Nous sommes en famille, les quatre ensemble, mon conjoint ouvre une demi-bouteille de vin et s'en sert un verre. Ça goûte bon, il m'en parle. Je m'ennuie de boire.

La vérité, c'est que bien que je prenne des médicaments depuis presque cinq ans, je m'ennuie toujours autant de pouvoir profiter d'une bonne bouteille, goûter des bons vins ou tout simplement me laisser aller, sortir le méchant avec un ou plusieurs verres. Je suis là, avec mon eau pétillante. Je ne peux jamais fuir la réalité. Je suis tout le temps là.

D'une part, je sais que c'est mieux pour moi de ne pas boire. Ça rend *moody* et surtout, c'est tellement contre-indiqué avec la sorte d'antidépresseurs que je prends. Je me suis risquée à ignorer les recommandations du pharmacien, au début. J'ai pris un ou deux verres, puis c'est venu me frapper en pleine gueule : j'étais soûle, j'avais mal au cœur et le lendemain j'avais la crève, la vraie, celle qui fait peur.

Je n'ai pas touché un verre de mes lèvres, depuis. Pourtant, j'ai eu en masse de moments où j'aurais eu le cœur à la fête : la sortie de notre premier livre, les soirées entre amis, les bons résultats de nos sites Web, la venue au monde de mon deuxième enfant, le fait que je passe chacune de mes journées à vivre encore. J'ai aussi eu mon lot d'événements plus tristes, que j'aurais volontiers fait passer avec une gorgée de vin. Je me trouve bonne de ne pas le faire.

C'est confrontant quand je pose des questions, parce que je sais que le fait que je ne prenne plus d'alcool force les gens à se dire que ça peut se faire. Le fait que je sois honnête et que je dise que c'est dur et plate l'est autant. Et quand je dis ça, je n'essaie surtout pas de m'élever au-dessus de la mêlée, mais je peux tout de même être fière de moi d'avoir choisi de ne plus consommer pour laisser 100 % de la place à mes médicaments.

Quand j'ai fait ma tentative de suicide, j'avais commencé à prendre du Prozac le mois d'avant. Comme ça pouvait prendre jusqu'à six semaines à faire effet, je ne m'étais pas forcée à suivre les contre-indications par rapport à l'alcool. Je trouvais que

Je n'ai pas touché un verre de mes lèvres, depuis. Pourtant, j'ai eu en masse de moments où j'aurais eu le cœur à la fête...

j'avais diminué ma consommation, parce que je ne sortais plus dans les bars. Mais je continuais à prendre un, deux, trois, quatre verres de vin avec mes colocs.

Une fois, je suis sortie dans un bar pour la fête d'une amie, et ma bière s'est transformée en tellement de consommations que j'ai perdu le fil. La mémoire aussi. Je me suis réveillée d'un *black-out* tellement paniquée et triste qu'une semaine plus tard, je planifiais comment j'allais mourir. C'est la deuxième raison qui fait que je serai toujours plus *stuck-up* avec l'alcool que bien du monde qui prennent des médicaments. J'ai vu le pire endroit où l'alcool pouvait me mener et heureusement, j'ai pu m'en sortir.

Mais c'est davantage le fait que je prenne des médicaments qui motive ma non-consommation d'alcool. Si un jour j'arrête la médication, peut-être que je vais recommencer à prendre un verre de temps en temps, ou pas. Je veux dire, après cinq ans, un moment donné, je pense que je m'habitue. Oui, ça serait l'fun que j'aie le choix, mais pour le moment je ne l'ai pas. Et ça, je l'accepte parce que tant qu'à prendre des médicaments,

aussi bien qu'ils fassent vraiment effet. Sinon, c'est *pointless*.

Je vous entends dire que ce n'est pas la même chose pour tout le monde, que ça a pas rapport avec votre consommation à vous, que vous savez dans quelle bière vous nagez. OK ! Tant mieux, je veux dire, je ne suis pas votre mère et vous pouvez faire ce que vous voulez de votre corps. Sauf que si un jour vous vous dites que c'est peut être une béquille de trop, un *downer* qui devient trop lourd et que vous avez envie d'arrêter, sachez qu'il y a plein de bons côtés à être le chauffeur désigné. C'est drôle pour vrai, je vous le jure. ∎

Andréa, 29 ans

Ta petite dépression

QUEL ÂGE AVAIS-TU QUAND TU AS EU TON DIAGNOSTIC?

Vingt-neuf ans.

QUEL ÉLÉMENT DÉCLENCHEUR T'A FAIT CHERCHER DE L'AIDE?

J'avais mis toute ma vie de côté pour avoir l'énergie de continuer à travailler. Tous les matins, c'était un combat contre moi-même pour me rendre au bureau. Je faisais beaucoup d'heures supplémentaires et quand je n'étais pas au bureau, je dormais. C'était ça, ma vie. Je toffais parce que j'attendais une promotion depuis longtemps, et que ma job était devenue ma vie; j'allais faire quoi si je n'avais plus mon emploi? Je ne voyais plus ma famille, mes amis, mon chum... Quand on m'a rencontrée pour m'offrir le nouveau poste que j'attendais, j'ai frappé un mur. J'ai réalisé que mon employeur ne valorisait pas mes larmes, ma sueur, mon temps, mon énergie. Mon monde venait de s'écrouler, parce que je n'avais plus rien d'autre dans ma vie. Malgré ma santé mentale et physique inquiétante, je continuais de tout donner au travail, une attitude qui ne serait pas récompensée. Est-ce que je m'étais rendue aussi bas pour un emploi, vraiment? J'ai complètement laissé tomber, et je suis partie en arrêt de travail.

À ce moment, je prenais déjà des antidépresseurs depuis un an, et j'avais commencé à voir la psy. Selon moi, le moment où je suis vraiment allée chercher de l'aide, c'est quand j'ai appelé mon médecin pour lui dire: «OK, c'est bon, je suis prête à lâcher prise.»

COMMENT AS-TU REÇU TON DIAGNOSTIC?

Au fond de moi, je savais très bien ce qui se passait. J'étais désemparée, mais je ne voyais pas ce que le médecin me dirait d'autre. J'étais tout le temps profondément triste. Comme si toute trace de joie de vivre avait quitté mon corps. Ça n'avait aucun sens car avant, j'avais toujours eu le bonheur facile. Mon médecin a été délicat et attentionné, je lui en serai toujours reconnaissante. Il a parlé d'une «déprimette» et il a dédramatisé la situation. Reste que pour moi, c'était un échec fulgurant. Je réussissais toujours ce que j'entreprenais, je performais comme une malade dans tous mes emplois et mes projets, et là, je souffrais d'une maladie de «faible», selon la croyance populaire. Ça m'est rentré dedans comme un *truck*. Par chance, je n'avais pas de craintes ou de préjugés à l'endroit des médicaments, parce que j'avais étudié en pharmacologie. Cet aspect ne m'a pas affectée.

QUELLE A ÉTÉ LA RÉACTION DE TON ENTOURAGE?

Au début, seul mon chum était au courant. Il était pharmacien, et il m'a fait réaliser à quel point la dépression est commune en Amérique du Nord (une personne sur dix!). J'avais tout de même trop honte pour en parler à mes parents ou à mes amis. Après quelques mois en thérapie, je l'ai annoncé à mes parents. Il y a eu un profond malaise. La dépression demeure un sujet tabou pour cette génération. Mes amis ont été très compréhensifs, à mon grand soulagement.

COMMENT VIS-TU (ET COMMENT AS-TU VÉCU PENDANT) TA MALADIE?

J'ai vécu une sorte de déni au début, parce que l'antidépresseur me donnait l'énergie nécessaire pour me faire passer à travers une journée normale. Mais après quelques semaines, je suis retombée à la case départ. Il fallait me sevrer de l'antidépresseur, en commencer un nouveau, et attendre les effets thérapeutiques pendant quatre à six semaines. Je ne me serais jamais rendue où je suis aujourd'hui sans la médication, mais se sevrer d'un antidépresseur est l'une des choses les plus difficiles que j'ai faites dans ma vie. Les nausées, les sautes d'humeur, les maux de tête, les diarrhées... pour finalement se rendre compte que l'antidépresseur n'était pas un bon *fit*.

Avec le temps, j'ai réalisé que je traitais les symptômes, mais pas la source du problème: j'ai alors commencé une thérapie. Ça aussi, c'est l'une des choses les plus difficiles que j'ai faites dans ma vie. Me pointer à chaque rendez-vous, exploser en sanglots avant même d'être capable de dire un mot, affronter les pensées qui sont tellement épeurantes que l'inconscient les a poussées au plus profond de l'esprit... Avec la thérapie, j'ai vraiment accepté ma situation. J'ai découvert comment et pourquoi je m'étais rendue là. Et maintenant, je vis bien avec la maladie. Je prends encore un antidépresseur, et chaque jour est différent, mais je suis mieux outillée pour *dealer* avec la maladie.

QUEL A ÉTÉ TON TRAITEMENT?

J'ai essayé une dizaine d'antidépresseurs jusqu'à trouver le bon. Je prends aussi un médicament pour dormir, pour contrer l'effet stimulant de mon antidépresseur.

PARLE-MOI DE TA MALADIE DANS UNE JOURNÉE ORDINAIRE.

Aujourd'hui, je ressens surtout ma maladie par le manque d'énergie. Je dois vraiment prendre soin de moi: manger de façon équilibrée, faire de l'exercice régulièrement et ne pas manquer de sommeil. Ce qui me cause beaucoup de stress maintenant, c'est la peur de retomber malade. À chaque petit signe, je vis de l'anxiété. Si je suis très fatiguée plusieurs jours de suite, j'ai peur de retomber plus creux dans ma dépression, et je me tape de solides crises d'angoisse. Sinon, je suis seulement plus sage qu'avant.

Pendant mon arrêt de maladie, c'était complètement différent. Les premiers mois, mon plus grand accomplissement de la journée était de prendre une douche. Je devais retourner me coucher après avoir fait le tour du bloc à la marche. Peu à peu, j'ai essayé de me rendre à l'intersection suivante. Et ainsi de suite. Ce fut très lent, mais c'était la seule façon de ne pas me décourager.

QUELLE EST LA CHOSE LA PLUS POSITIVE QUE TA MALADIE T'A APPORTÉE?

J'ai appris que la personne la plus importante au monde, c'est moi. J'ai appris à dire non, que plaire aux autres n'en valait pas toujours la peine, et que c'était OK de prendre du temps pour moi. J'apprécie encore plus la vie qu'avant, parce que je sais à quel point j'ai passé proche de la perdre. Je suis heureuse avec beaucoup moins qu'avant.

LA PLUS NÉGATIVE?

J'ai réalisé que certaines personnes de mon entourage n'étaient pas de vrais amis. C'est un mal pour un bien, mais c'est difficile à accepter. L'autre chose, c'est que j'ai réalisé que la médecine n'est pas une science exacte, surtout dans le cas de la maladie mentale. Les médecins veulent tellement nous aider, mais ils sont débordés et la maladie mentale, ça se traite par essais et erreurs. J'ai vu une psychiatre pendant six mois; à notre dernier rendez-vous, elle m'a dit qu'elle ne savait plus quoi faire pour moi, qu'elle avait tout essayé. Elle n'a sans doute pas réalisé la portée de ses mots, parce qu'à ce moment, je me suis dit que la seule chose qui allait me délivrer de ma maladie, c'était la mort. Si mon médecin de famille et une spécialiste ne savaient pas comment m'aider, qui le saurait? J'ai eu la chance inouïe de voir un troisième

médecin, qui a su quoi faire. Mais cette chance n'est pas donnée à tout le monde, et ça m'effraie juste d'y penser.

EST-CE QUE TU EN PARLES OUVERTEMENT?

J'ai commencé à le faire à mon retour au travail, parce que le chat était en quelque sorte sorti du sac: tout le monde savait que j'avais arrêté de travailler pour six mois.

Je n'avais pas eu le courage de le faire sur les réseaux sociaux, mais le 10 octobre dernier, Journée mondiale de la santé mentale, une amie Facebook a parlé de sa maladie. Je me suis souvenue qu'à mon plus bas, quand je souhaitais seulement mourir, j'avais lu des témoignages sur des forums en ligne. Ça m'avait fait un bien fou. Savoir que je n'étais pas toute seule dans ma souffrance, que d'autres s'en étaient sortis, alors que d'autres encore luttaient chaque jour comme moi, ça m'avait donné une bouffée d'amour et de courage. J'avais aussi lu le témoignage de Carolane, qui m'avait énormément inspirée. J'ai donc décidé, le 10 octobre, de publier un billet sur mon compte Facebook, sans vraiment réfléchir aux conséquences. Ce soir-là et les jours suivants, j'ai reçu une tonne de messages. Des messages de gens que je connaissais de près ou de loin, qui souffraient eux aussi. De collègues de travail, de connaissances, de membres de la famille éloignée. De gens qui m'avaient toujours souri, qui m'avaient toujours dit qu'ils allaient bien, mais qui souffraient en silence. J'ai été profondément émue, mais tellement bouleversée. Tous ces gens qui souffrent comme moi j'ai souffert, qui sont découragés, qui attendent le fameux moment où ils iront mieux. Tout ça en silence, par peur de perdre leur emploi ou de se faire juger par les autres. Ça m'a pris des jours pour m'en remettre.

COMMENT ÇA VA?

Ça va bien! J'ai fait un grand ménage dans ma vie, aussi cliché que ça sonne, et je suis heureuse avec moi-même. J'ai des projets excitants, un chien et trois chats qui me rendent si heureuse, des amis fantastiques, une job de rêve. *It gets better, guys!*

EST-CE QUE TU PENSES QUE TOUTES LES FILLES SONT FOLLES?

Bien sûr que non. Tout comme tous les gars ne sont pas des menteurs. L'incompréhension et la difficulté de communication entre les genres ne datent pas d'hier. Je pense que lorsque les garçons utilisent cette expression, ils font allusion à notre passion, à notre loyauté et à notre dévouement pour les gens qu'on aime.

ta (petite) dépression

Est-ce que j'ai les moyens de voir une psy ?

Sinon, où vais-je quand ça va mal ?

CAROLANE STRATIS

Le plus important, c'est que si vous êtes en crise, vous trouviez de l'aide tout de suite. Si vous vous sentez encore capable d'attendre, il existe des moyens gratuits.

Josiane a déjà utilisé cette métaphore pour parler du féminisme, et c'est tellement un bon exemple que je vais le récupérer pour parler de privilèges : avant, je n'avais aucune idée de ce qu'étaient les privilèges, et une fois que j'ai mis mes lunettes, je n'ai plus jamais été capable de les enlever. Depuis, chaque fois qu'on me demande combien ça coûte, une psychologue, je ne peux pas m'enlever de la tête que ce n'est pas cher pour ce que c'est... du moment que t'as un minimum de moyens de payer.

Donc, quand je suis tombée malade, j'ai eu le privilège de voir une psy au privé, et la chance que ça soit : 1) la bonne psy pour moi ; 2) payé par mes parents. De mon côté, je subsistais assez modestement, mais je subsistais. Puis, je suis tombée enceinte, j'ai accouché, mes parents ont divorcé et je suis retombée en dépression, l'année suivant la naissance de ma fille.

Je gagnais alors un salaire qui me permettait de payer les comptes et de m'occuper de ma fille, mon chum avait un peu plus de moyens, mes parents plus du tout. Comme j'ai toujours ressenti une certaine fierté à payer mes choses par moi-même, j'ai regardé mon budget et j'ai décidé de couper dans certains plaisirs (restos, alcool, vêtements) pour retrouver ma joie de vivre en voyant ma psy. Je trouvais que l'équation était logique. Qui dit prendre sa santé mentale en main dit souvent faire des choix, et j'avais le privilège de pouvoir faire ce choix. C'est 80 $ par semaine pendant un an que j'ai consacré à aller bien. C'est presque 4000 $ en un an, une grosse partie de mon salaire, que j'ai dépensés avant d'aller assez bien pour voir ma psy juste une fois par deux semaines, puis plus du tout parce que *#HormonesPostGrossesse*.

Un psychologue au privé coûte entre 60 $ et 120 $ de l'heure, et un psy, ça se magasine. C'est possible de voir son psy aux deux semaines ou d'en voir un juste une fois, si vous en ressentez le besoin ou si vous en avez moins les moyens. Le plus important, c'est que si vous êtes en crise, vous trouviez de l'aide tout de suite. Si vous vous sentez encore capable d'attendre, il existe des moyens gratuits.

Ces services sont principalement offerts par les hôpitaux et les CLSC, avec l'aide psychosociale. Souvent, on peut avoir accès à une travailleuse sociale, ce qui peut être un bon début. Ça peut aussi vous donner accès à une liste d'attente pour consulter un psy. Dans beaucoup d'universités, vous pouvez voir une doctorante en psychologie qui est supervisée par un professeur, ce qui est souvent peu cher ou gratuit. Dans les cégeps et les écoles secondaires, vous avez le même type de services, souvent offerts par des travailleurs sociaux.

Si jamais ça va trop mal et que vous avez besoin d'aide immédiate, il faut aller à l'urgence, où vous aurez, s'il n'y a pas trop d'attente, l'aide d'un spécialiste. Il se peut aussi

qu'on vous transfère dans un centre adapté. Enfin, il est toujours possible d'avoir de l'aide sur une ligne d'appel ou dans un centre de prévention du suicide, communément appelé un centre de crise.

Pour en revenir au moyen de prendre soin de sa santé, c'est important de voir dans votre budget ce qui est superflu. Plusieurs personnes disent qu'elles n'ont pas d'argent pour ça, mais c'est que leurs dépenses vont dans des besoins superflus. Arrêter de vous acheter des vêtements durant quelques mois, ça vaut peut-être la peine si c'est pour investir dans votre santé mentale. Et puis, ça peut être une occasion d'user de votre créativité pour avoir du fun quand même. Si les vêtements vous passionnent, vous pouvez faire des échanges de vêtements, aller vendre ceux que vous ne portez plus dans une friperie, ou les vendre sur Internet. Ça peut même devenir un projet qui vous *drive* à aller mieux.

L'important, c'est de trouver quelqu'un pour vous aider, peu importe. ∎

Suicide Action Montréal : suicideactionmontreal.org
Centre de prévention du suicide de Québec : www.cpsquebec.ca
Revivre : www.revivre.org

Marie-Hélène, 22 ans

Ton petit trouble d'anxiété généralisée

QUEL ÂGE AVAIS-TU QUAND TU AS EU TON DIAGNOSTIC ?

C'est à l'âge de vingt ans que j'ai reçu le diagnostic officiel de mon TAG. Ça a pris du temps, parce que je ne pensais pas que j'avais quelque chose qui «clochait» plus que les autres, même si je me sentais constamment toute pognée en dedans, comme si mon cœur était recouvert d'un genre de goudron. Ça pouvait me prendre n'importe quand dans la journée, mais plus particulièrement lorsque je me trouvais dans des foules. Je n'avais jamais vraiment tilté, puisque je pensais que tout le monde se sentait un peu comme ça, mais que je le vivais peut-être un peu plus. Je pensais que j'étais plus sensible, c'est tout. C'est ce qu'on me disait : «Marie-Hélène, tu es trop empathique, trop sensible, trop émotive», etc. On m'a souvent dit aussi que c'était parce que j'étais une femme et que c'était normal que je sois plus près de ce que je ressentais, que c'était les «hormones». *Guess not*, hein ?

QUEL ÉLÉMENT DÉCLENCHEUR T'A FAIT CHERCHER DE L'AIDE ?

L'élément déclencheur a été l'apparition de mes premières crises de panique. Comme ça a pris un certain moment avant de réaliser que mon anxiété était plus grande et surtout, plus constante que chez les autres, je ne pensais pas qu'il était nécessaire d'aller chercher de l'aide. J'ai attendu que tout mon corps et mon cœur explosent. Je dis «premières crises», mais je me rappelle très bien que, petite, j'explosais souvent de cette façon. Je pouvais faire des crises de nerfs complètement irrationnelles, où je passais des heures à hurler mon mal de vivre en suffoquant et en hoquetant. Je me sentais prise dans une énorme boîte grise avec aucun point d'ancrage. C'était irréel. Je pouvais me frapper les tempes et, maintenant, je me dis que c'était clairement une forme d'automutilation – geste que j'ai répété plus violemment au début de la vingtaine. Les premières fois, j'avais peut-être huit ans. Avec l'âge, ça s'est calmé. Jusqu'au jour où toute cette anxiété accumulée a refait surface et où je suis retombée dans cette boîte grise…

Vers dix-neuf ans, j'ai recommencé à faire des crises de panique. Je ne savais pas du tout ce que c'était, je ne comprenais pas pourquoi je tremblais autant et pourquoi je me sentais aussi prisonnière de mon propre corps. Ça a duré près de deux ans, et le laps de temps entre mes crises était de plus en plus court. Mais un jour, j'ai fini les yeux injectés de sang dans la minuscule cuisine de mon premier appartement, couteau à la main, et en état de dépersonnalisation. Je voulais m'ouvrir le ventre. Mon copain est arrivé à temps et a dû me retenir physiquement pour m'empêcher de déverser sur le plancher tout le goudron que j'avais en moi. Il a appelé les urgences, qui lui ont juste dit d'attendre que je m'endorme d'épuisement. Le lendemain, c'est moi qui prenais le téléphone afin de prendre un rendez-vous chez le psychologue pour ne plus jamais me trouver dans ce genre de situation : je ne voulais pas me suicider. Une quinzaine de séances, le diagnostic était clair : trouble d'anxiété généralisée avec attaques de panique pouvant mener à un état de dépersonnalisation.

COMMENT AS-TU REÇU CE DIAGNOSTIC DE MALADIE MENTALE ?

J'étais extrêmement soulagée de comprendre que ce que je vivais n'était pas commun et qu'il existait des moyens de stabiliser mon anxiété. Je pouvais dès lors rediriger mon mal, le comprendre puis l'apprivoiser du mieux que je pouvais. Mon psychologue m'a beaucoup aidée à comprendre d'où mon anxiété venait. Je pensais que c'était de la tristesse, il s'avérait que c'était plutôt de la colère. Et de la colère contre moi-même. Lorsque je lui ai parlé de la soirée du couteau, il m'a posé une simple question : «Pourquoi ce n'est pas ton copain que tu as voulu poignarder ?»

QUELLE A ÉTÉ LA RÉACTION DE TON ENTOURAGE ?

Je pense que peu de gens prennent les troubles d'anxiété au sérieux. Pour beaucoup, c'est le «mal du siècle», et je pense que c'est ce qui fait le plus mal : essayer de *dealer* avec ça quotidiennement sans avoir l'appui de ses proches. Ma famille proche ne m'a pas posé beaucoup de questions à propos de mon diagnostic. Heureusement, j'ai une meilleure amie, un amoureux et une belle-mère qui m'ont beaucoup soutenue dans mes démarches pour aller mieux. Je pense aussi que j'ai été très discrète sur ce que je vivais intérieurement. D'après moi, ça sortait un peu de nulle part pour la majorité de mes proches.

COMMENT VIS-TU TA MALADIE ?

J'essaie de me dire que mon cerveau a la capacité de faire des milliers de choses merveilleuses pis que ce n'est pas un trouble qui va venir enlever tout ça. Je vis bien avec mon TAG – comme il a toujours été là, j'ai appris à m'adapter tôt. Je pense qu'on n'a pas vraiment le choix d'apprendre à apprivoiser ce genre de chose qui fait partie de nous. L'important, c'est de ne pas se définir par notre trouble.

QUEL A ÉTÉ TON TRAITEMENT ?

J'ai été suivie par un psychologue et j'ai décidé de prendre une médication au besoin lors de mes attaques de panique. C'est un anxiolytique qui, souvent, me calme seulement par sa présence. J'ai moins peur de commencer une crise dans le métro ou au travail, par exemple. De nombreuses fois, juste de savoir que cette petite béquille était dans ma sacoche m'a évité de devoir la prendre ! Et bien sûr, le fait de consulter a vraiment été la meilleure décision que j'aurais pu prendre. Ça aide tellement à mieux se comprendre. Mon psychologue m'a aussi donné beaucoup de trucs pour m'aider à me calmer si je sentais que j'étais en début de panique.

PARLE-MOI DE CE QUE TE FAIT VIVRE TA MALADIE DANS UNE JOURNÉE ORDINAIRE.

Je dois me lever chaque matin, et ça, c'est quelque chose de très angoissant. La journée n'a même pas encore débuté que je l'appréhende déjà. Habituellement, si je reste chez moi, c'est vraiment correct comme journée. Par contre, dès que ça implique du transport en commun et des interactions sociales, je deviens beaucoup plus fragile émotionnellement. Disons que j'ai un événement en soirée : je risque fort probablement d'essayer de schématiser la soirée intérieurement. Je passe en revue la liste d'invité-e-s – certaines personnes me causent plus d'anxiété que d'autres –, je regarde 10 fois mon GPS pour être certaine de pas me tromper de bord de métro, je visualise mes interactions sociales, j'essaie de me détendre… Et malheureusement, je finis souvent par boire plus que je ne le devrais pour me calmer les nerfs, ce qui est une solution très temporaire, disons-le.

QUELLE EST LA CHOSE LA PLUS POSITIVE QUE TA MALADIE T'A APPORTÉE ?

Ça m'a permis de me dire : « OK, OK… C'est normal, ce que tu ressens, il suffit de te rappeler que tout ce que tu vis en ce moment est moins pire que ce que ton corps t'envoie comme signal. C'est correct. Pis c'est correct que ce soit correct. » Avant, je ne comprenais juste pas d'où venait toute cette abondance de sentiments angoissants.

LA PLUS NÉGATIVE ?

Mes proches ont été témoins de certaines de mes crises, et comme ce ne sont pas nécessairement de glorieux moments pour moi, j'en suis assez honteuse. Aussi, lors des épisodes de crise en état de dépersonnalisation, je me retrouvais souvent en sang parce que je m'automutilais, chose que je n'avais jamais faite lorsque mon état était stable. Je ne comprenais pas d'où venaient ces attaques contre moi-même. Avoir un TAG, c'est quelque chose d'épuisant. Les breaks sont rares, et je me retrouve souvent lessivée à la fin de ma journée.

EST-CE QUE TU PARLES OUVERTEMENT DE TA MALADIE ?

Oui et non. Sur Internet, étrangement, c'est plus facile d'en parler. Le silence virtuel me donne du courage. En personne, je suis plus discrète. Principalement parce que lorsque j'en parle de vive voix, les gens ne semblent pas me croire, étant donné que je suis quelqu'un d'assez extraverti. Les gens ont une image toute faite des personnes anxieuses (introverties, timides, nerveuses, etc.), mais ils ne savent pas qu'un humain est peut-être en train de mener un combat à reculons contre d'immenses vagues et torrents intérieurs. Il faut surtout déconstruire ce genre de stéréotype. Chaque jour.

COMMENT ÇA VA ?

Ça va ! Je prends le temps de me donner du temps et je me permets de ressentir ce que je ressens.

EST-CE QUE TU PENSES QUE TOUTES LES FILLES SONT FOLLES ?

Si nous avions laissé parler les femmes un peu, je suis certaine que beaucoup de choses seraient différentes aujourd'hui. On a préféré leur mettre une muselière. Ceux qui pensent que les troubles mentaux chez les femmes font d'elles des folles… Je ne sais pas quoi vous dire, à part peut-être de prendre soin de vous – ce qui ne ferait pas de tort !

La petite (crisse de) crise de panique

CAROLANE STRATIS

La première fois que j'ai eu une crise de panique, je ne savais pas ce qui se passait. J'habitais aux résidences du cégep Marie-Victorin, je venais d'entrer dans un cours d'atelier qui durait six heures – le genre de cours que je ne pouvais manquer plus d'une fois pendant la session sinon j'étais en échec –, puis j'ai eu si mal au ventre que je pensais mourir.

Je suis partie dans ma chambre, j'ai dormi tout l'après-midi et le lendemain, j'étais correcte. Ce n'était ni une indigestion ni des crampes menstruelles, c'était ma première crise de panique. Je n'allais m'en rendre compte que quelques années plus tard... en pliant des vêtements.

C'est que, voyez-vous, Josiane et moi ne faisions pas une belle paire de colocs, sauf quand il était question de mettre nos vêtements en commun. Résultat : nous en avions en ta. Comme toute grande force vient avec de grandes responsabilités, nous avions déterminé que chacune notre tour, nous rangerions les vêtements. J'avais une grande chambre, alors il arrivait souvent que nous nous laissions dépasser par la tâche, et procrastination oblige, je me retrouvais devant une pile monstre.

Et c'était long. Et je me mettais à penser. Puis je pensais trop, et paf ! je me retrouvais par terre, incapable de me lever, à pleurer comme une madeleine, sans raison. Ça pouvait durer une heure ou 15 minutes. J'en sortais complètement vidée, suante et fatiguée. C'était violent.

J'en ai déjà fait après un *one-night stand*, au travail, dans le trafic, au cinéma, pendant un concert, à l'université, chez le dentiste. Ça m'arrivait aussi dans les bars. Je rentrais dans la place, je me mettais à avoir mal au ventre, je suffoquais. Je prenais un taxi, textais une amie et rentrais me coucher.

Une fois, je n'ai pas été capable de me rendre jusqu'à mon lit. Je me suis juste affaissée à un mètre, même pas. J'ai pleuré là, à chaudes larmes, jusqu'à ce que ça réveille ma coloc de l'époque. Elle m'a aidée à me mettre au lit. Elle comprenait ce qui se passait, car elle en faisait, des crises, elle aussi.

Pendant ma dépression, ça devenait de plus en plus fréquent. Un rien me faisait paniquer. Je manquais des cours parce que je ne pouvais plus sortir de chez moi. J'avais trouvé que les bains me calmaient un peu. Je me suis baignée en masse. J'étais fripée en dedans comme en dehors.

Ma thérapie m'a grandement aidée à ne plus faire de crises de panique. Je suis maintenant capable de laisser sortir le méchant quand c'est le temps. Sinon, je le verbalise ou j'écris ma peine à une amie. Je me donne le droit d'avoir des sentiments et de les faire sortir un peu tout croche, des fois. Mes antidépresseurs aident aussi, il ne faut pas s'en cacher. Je n'ai plus peur de faire de crises, je n'angoisse plus d'angoisser excessivement pour un rien.

Quand notre amie de cégep, Stéphanie, s'est suicidée, j'en ai refait quelques-unes. J'ai dû prendre des anxiolytiques pour m'aider à passer à travers cet événement qui brassait beaucoup d'affaires. J'étais dans un nouvel épisode dépressif, aussi.

J'en ai parlé souvent avec des amies et des gens qui souffrent d'un TAG (trouble d'anxiété généralisée). Le mieux à faire pendant une crise, c'est de se répéter que ça va passer. Ça passe toujours, des fois c'est long, mais ça passe pareil.

Ça va passer. Ça va passer. Ça va passer. Ça va bien aller. ∎

Je m'excuse

CAROLANE STRATIS

J'ai une amie qui a eu une grossesse de marde, avec plein de visites à l'hôpital. Nous avons accouché à 13 jours d'écart. Elle, à l'hôpital, moi, dans ma salle de bain.

Cette amie-là, quand sa fille a eu trois mois, a fait une infection de l'utérus. De quoi de pas très beau ni agréable. Avec ses antibios, elle ne pouvait plus allaiter. Elle l'a dit tout bonnement dans un groupe privé sur Facebook et tout le monde s'est mis à lui donner des trucs. C'était sans malice, c'était même pour aider. Sauf qu'elle n'avait jamais demandé d'aide ou exprimé l'envie de continuer à allaiter.

C'est souvent comme ça dans la vie : une décision peut faire chier une personne et la soulager en même temps. Pour mon amie, les antibiotiques étaient la meilleure occasion d'arrêter d'allaiter, « une belle excuse », se sont peut-être dit certaines des filles du groupe. Ouin, pis ?

Parlant d'excuses, ça demeure encore pour moi le meilleur moyen de mettre mes limites quand je n'ai pas envie de faire quelque chose ou quand je n'en ai pas la force. Vraiment désolée de vous révéler ça, mais c'est l'un de mes top mécanismes de défense. *I guess* que c'est le mécanisme de défense de pas mal de monde aussi !

C'est sûr que ça peut être décevant de devoir faire face à des excuses. Mais est-ce que tout le monde accepterait de se faire dire non d'emblée ? Et puis, j'essaie toujours de me rendre le plus loin possible, parce que je veux voir que je suis encore capable de faire des choses, même si ça veut dire que je n'arriverai sûrement pas à la fin en un seul morceau ou sans décevoir quelqu'un d'autre.

Mon truc, c'est de dire « oui, mais... ». Ça me donne l'impression que j'ouvre la porte à faire quelque chose et ça me permet en même temps de m'excuser de ne pas avoir pu le faire si jamais ça arrive.

La chose la plus drôle avec mon genre d'excuses, c'est qu'en attendant d'apprendre à dire non, je m'excuse tout le temps pour tout. Même quand ce n'est pas ma faute. Je sais que ça vient de mon enfance et du fait que je me faisais si souvent chicaner pour toutes ces choses qui n'avaient pas rapport avec moi. Les conséquences étaient tellement fortes que je devais m'excuser pour tout et pour rien. J'en ai gardé l'habitude.

Maintenant, pour éviter d'avoir l'air trop empathique, mon truc, c'est de m'excuser et de m'excuser de m'être excusée pour la chose qui n'avait pas rapport. Ça donne ça : « Je voulais te dire que je suis tellement désolée pour X. Aussi, je m'excuse d'être si désolée, je m'excuse toujours pour des choses qui n'ont aucun rapport avec moi. » Habituellement, ça fait bien rire mes amis.

Je m'excuse. ∎

Ariane, 26 ans

Ta petite bipolarité

QUEL ÂGE AVAIS-TU QUAND TU AS EU TON DIAGNOSTIC ?

J'ai été diagnostiquée à l'âge de vingt-trois ans. Premièrement pour une dépression majeure avec trouble d'anxiété généralisée, puis la même année j'ai reçu un second diagnostic, de bipolarité celui-là.

QUEL ÉLÉMENT DÉCLENCHEUR T'A FAIT CHERCHER DE L'AIDE ?

Je pleurais beaucoup, je n'avais plus les idées en place, je m'éparpillais et je commençais de nombreux projets sans rien terminer. Le stress ne faisait qu'augmenter. Mon cellulaire était rendu mon pire ennemi... À chaque son qu'il faisait, mon cœur battait à 1000 à l'heure. Mais le pire, c'était les longs moments où il ne vibrait pas : je sombrais de plus en plus. J'étais dans une relation complexe, que je croyais saine à cette époque, mais qui était malsaine quand j'y repense.

Je voulais tomber dans les pommes au travail afin que les gens m'obligent à aller chercher de l'aide. Voyez-vous, à l'époque, ma cousine était à l'hôpital, branchée de tous bords, tous côtés, et sa mère trouvait que j'avais l'air plus mal en point qu'elle. Sauf que moi, comme mon mal était psychologique, personne ne le comprenait, ne s'attardait à cela... jusqu'à ce que mon diagnostic soit posé.

AU DÉBUT, COMMENT AS-TU VÉCU AVEC LE FAIT QUE TU SOUFFRAIS D'UNE MALADIE MENTALE ?

J'ai appelé mes parents de mon travail, en pleurant ; j'ai dit que j'étais malade, que je devais aller à la clinique. J'ai parlé avec un infirmier, et il m'a dit que j'étais probablement en dépression, et que je devais aller à l'hôpital pour être sûre du diagnostic. On ne m'a fait aucun test, on m'a seulement longuement parlé, sans trop me rassurer, et on m'a empêchée de retourner au travail. C'est à ce moment que j'ai sombré davantage. Je ne savais

plus quoi faire de ma peau. Je pensais que je serais inerte toute ma vie. Chaque jour, je m'enfonçais davantage : je me lavais moins, j'avais peur de me couper avec un rasoir, de prendre le métro. J'avais toujours froid, je mangeais à peine, je restais des heures dans mon lit à pleurer jusqu'à ce que je m'endorme par faiblesse. J'ai perdu 40 livres en trois mois et demi, même si un des effets secondaires de mes antidépresseurs devait être la prise de poids.

Je suis allée quelques jours à Boston, où j'ai recommencé à vivre tranquillement, à apprécier l'art à nouveau, à ne plus me sentir comme un enfant qui devait se faire border, dont on devait s'assurer que les besoins primaires étaient comblés, qui devait se faire dire de se brosser les dents, de manger un peu (au moins), d'aller prendre de l'air frais. Puis finalement, je suis retournée au travail graduellement. Le problème était que j'avais le cerveau qui fonctionnait en accéléré, mais je ne m'en rendais pas compte. Je ne pleurais plus, j'étais en extase devant tout ce qu'il y avait devant moi.

À bien y repenser, tout a commencé tranquillement. J'étais à Boston et je tournais sur moi-même en regardant les lumières de la ville et en me laissant ébahir devant la beauté des espaces verts. Je suis devenue sensible à chaque couleur qui m'entourait, à chaque publicité. Je parlais vite, j'avais tellement de projets en tête, je me lançais dans tout avec une grande intensité. Pleurer était chose du passé, sauf lorsque je pleurais devant tellement de beauté. Mes papilles étaient très réceptives, j'avais un œil des plus photographiques, je courais des longues distances alors que j'avais toujours détesté cela, j'oubliais de manger, je n'avais pas besoin de café pour avoir de l'énergie. En fait, je n'avais même pas besoin de dormir, ou à peine.

Puis, un soir, j'ai perdu le contact avec la réalité. J'étais devenue une personne extérieure à moi. Mon hypersensibilité m'a fait sombrer dans un monde parallèle, où j'avais des idées de grandeur et où je voulais sauver les gens. Ce soir-là, plus les heures ont avancé, plus les souvenirs que j'en garde maintenant sont flous, stridents ; incompréhensiblement, je n'y ai plus accès, comme s'ils étaient pris dans le passé.

J'ai passé trois jours internée à l'Hôpital Douglas, l'institut universitaire de McGill en santé mentale, et quelques mois plus tard, mon diagnostic a été posé.

Ariane, vingt-trois ans, bipolaire.

QUELLE A ÉTÉ LA RÉACTION DE TON ENTOURAGE ?

Pour la dépression majeure, j'avais honte au boulot, donc je n'ai juste contacté personne. J'ai fait croire à mes collègues que c'était un burnout. Pas parce que c'est plus facile, mais simplement parce que je n'avais pas envie de rentrer dans les détails de ma vie amoureuse, de ma sexualité, de mes peurs datant de l'enfance, de ma honte physique... de tout ce qui avait explosé à l'intérieur de moi, comme si tous les tiroirs s'étaient ouverts en même temps.

Quant à mes amis, à mes parents et à ma famille, plusieurs ont su comment me soutenir, d'autres se sont éloignés, mais plutôt parce qu'ils ne savaient pas comment agir autour de mes pleurs, de mes angoisses, et surtout parce qu'ils ne voulaient pas me voir dans cet état trop douloureux à leurs yeux : cernée et amaigrie, avec des soubresauts constants de pleurs et des commentaires d'enfant devant les choses courantes de la vie.

Concernant la bipolarité, ça m'a pris un an pour être capable d'en parler ouvertement, tout en sélectionnant les gens à qui j'en parlais. Maintenant, trois ans plus tard, j'essaie de déstigmatiser le tout, tout en restant vigilante puisque j'ai déjà compris indirectement que j'avais perdu deux fois des emplois à cause de la maladie.

COMMENT VIS-TU TA MALADIE ?

Évidemment, ce n'est pas chose facile. Parfois, oui, j'oublie que ça fait partie de moi. Je prends mes médicaments par automatisme, je les arrête aussi lorsque je suis trop frustrée de ma condition. Je vis entre deux pôles qui me tiraillent de façon plutôt permanente et je ne peux qu'accepter le tout. Ignorer rendrait la chose plus difficile, plus lourde, plus noire, et j'ai choisi que je ne voulais plus cela.

Parce que non, c'est pas excitant comme diagnostic, et oui, je préférerais ne pas subir ces extrêmes changements d'émotions quand ce n'est pas contrôlé par la médication, mais j'essaie de garder le positif dans ma vie, de me débarrasser du négatif, d'être honnête avec moi-même et de sortir tous les fantômes de mon placard, et tout cela une chose à la fois.

QUEL EST TON TRAITEMENT ?

Je suis suivie par une sommité psychiatrique régulièrement. J'ai aussi fait deux ans intensifs de thérapie à raison d'une fois par semaine. (D'ailleurs, merci aux résidentes du Douglas, qui ont fait un travail irréprochable et qui m'ont aidée à accepter mon diagnostic, mais surtout à déceler les éléments précurseurs et à surveiller de près mes émotions tout en n'étant pas parano non plus.) J'ai aussi une médecin de famille des plus extraordinaires, qui a pris soin de moi et pris de mes nouvelles malgré qu'elle fût en congé de maternité. Il y a aussi mes pharmaciens qui me téléphonent et me rappellent que je suis en retard pour venir chercher mes médicaments. Je sais que ce n'est pas tout le monde qui tombe aussi bien, mais je me dis que ma courtoisie et mon bon vouloir m'ont beaucoup aidée à recevoir un aussi bon traitement, bien qu'avoir cette attitude n'ait pas été si facile que ça.

PARLE-MOI DE TA MALADIE DANS UNE JOURNÉE ORDINAIRE.

Une journée ordinaire, ça n'existe pas vraiment dans ma condition. Je ne dis pas ça pour faire peur. Simplement, je suis bipolaire de type 1 et j'ai des tendances cyclothymiques, donc tout va dépendre des stresseurs incontrôlables de la vie. Avec un ou deux stresseurs, je peux très bien fonctionner, mais quand plusieurs pôles de ma vie changent, je rechute si je ne prends pas ma médication de la bonne façon.

Je peux vous dire que j'ai appris de mes erreurs et que maintenant, je me colle à ces petites pilules matin et soir.

QUELLE EST LA CHOSE LA PLUS POSITIVE QUE TA MALADIE T'A APPORTÉE ?

L'autocritique que j'ai par rapport à mes actions. Je sais me regarder aller et je sais quand aller chercher de l'aide. C'est la plus belle chose qui soit.

LA PLUS NÉGATIVE ?

Trois choses. Premièrement, il y a le regard de certaines relations intimes qui change une fois que le diagnostic est mentionné. Deuxièmement, je reçois des conseils du genre avoir des pierres précieuses au cou, monter le mont Royal souvent et faire du yoga, comme si à eux seuls, ces « traitements » allaient changer ma condition de façon magique. Et puis finalement, il y a la prise de poids de 85 livres en deux ans. Cependant, si ça prend ça pour mieux fonctionner, je ne l'échangerais pour rien au monde. Je tiens à dire que je n'ai pas toujours pensé comme ça.

EST-CE QUE TU EN PARLES OUVERTEMENT ?

J'en parle souvent ouvertement sans mentionner que j'ai cette condition, et si je vois que la personne est réceptive et que j'ai une confiance profonde en elle, je n'ai aucun problème à me confier. Ça me permet aussi de rejeter toute personne sans compassion avec qui je n'ai aucun intérêt à être en relation.

Quant à mes amis et à ma famille, ils sont tous au courant. Ceci est positif s'ils perçoivent des signaux d'alarme qui peuvent être précurseurs et que cela me sauve d'une future manie, mais des fois, ça peut devenir agaçant, car les gens me scrutent sans bon sens. Je pense être, à part mes médecins, la personne la plus apte à m'observer. Mais cela prend du temps, et les gens ne veulent pas mal faire. Il faut apprendre à l'accepter et être honnête avec les autres, en leur expliquant bien afin qu'ils ne deviennent pas trop apeurés et qu'ils comprennent qu'il est normal que j'aie des émotions et non que je sois amorphe. Il n'y a rien de pire que d'être amorphe, pour moi.

COMMENT ÇA VA ?

Ça va, ça vient, mais ça finit toujours par bien aller. Du moins, c'est ce que je me répète sans cesse.

EST-CE QUE TU PENSES QUE TOUTES LES FILLES SONT FOLLES ?

Il n'y a rien de plus beau qu'une sensibilité et un brin de folie. Les hommes aussi sont fous, à leur manière. On a encore beaucoup de chemin à faire dans la déstigmatisation des maladies mentales, malheureusement. Filles, hommes, diagnostiqués ou non, laissez-vous vous faire aider, mais je pense surtout, honnêtement, que quand vous pensez que ça va mal, il n'y a rien de plus beau que de sortir et d'aller chercher de l'aide. Écoutez-vous.

Puis, un soir, j'ai perdu le contact avec la réalité. J'étais devenue une personne extérieure à moi. Mon hypersensibilité m'a fait sombrer dans un monde parallèle, où j'avais des idées de grandeur et où je voulais sauver les gens.

La fois où j'ai appris, à trente ans, que j'avais un déficit de l'attention

JOSIANE STRATIS

Ça fait bizarre d'avoir enfin la confirmation de quelque chose dont on se doute depuis longtemps. J'aurais aimé savoir que j'avais un trouble de l'attention avec hyperactivité, c'est-à-dire un TDAH, bien avant cet après-midi de l'automne 2016.

Quelques semaines plus tôt, j'avais googlé «Association des neuropsychologues du Québec», fait une recherche par code postal et écrit au neuropsychologue qui arrivait en tête de liste. Après un entretien téléphonique, il m'avait envoyé une série de formulaires à remplir, puis j'avais pris rendez-vous pour passer un test, qui allait durer quatre heures.

Je me suis présentée à mon test le ventre vide parce que je n'avais pas eu le temps de manger le matin. J'ai fait une entrevue pendant une heure et demie, où on m'a posé des questions sur ma vie, mon enfance, mes parents, mes frères et sœurs. Sur mon parcours scolaire aussi, pis tout le reste. Ensuite, j'ai été me chercher un sandwich et j'ai continué à faire des tests d'intelligence, de mémoire, d'association, d'attention. Puis je suis rentrée chez moi. Je devais attendre deux semaines.

Durant le test, le neuropsychologue, très gentil d'ailleurs, m'avait dit quand même des affaires que je n'avais pas entendues souvent, comme «tu es vraiment dure avec toi-même» et «est-ce que tu as peur de l'échec?». Des affaires de même, qui ont quand même résonné fort.

Aussi, j'ai quand même parlé ouvertement de ma démarche autour de moi. Beaucoup de personnes me disaient «ouain, on est tous un peu TDAH, t'sais». Ou «tu as bien réussi à date dans ta vie, pourquoi tu veux savoir ça?». Je sais pas. À un moment donné, je ne peux pas conseiller à tout le monde de faire attention à sa santé mentale quand je me sens crasher dans le mur parce que je suis toujours désorganisée, jamais à l'heure, que j'oublie sans cesse ce que je dois faire, que je m'*overbook as fuck*, que j'ai l'air d'un *mess* à la garderie, que je ne suis pas capable de finir des choses simples comme mon ménage parce que je ne trouve pas ça intéressant, que des fois, je me retrouve dans le milieu de mon appart pis ça me souffle dans le visage et je ne peux pas dire ce que j'ai fait dans la dernière heure.

J'avais le goût de savoir ce qui se passait.

Sans grande surprise, le neuropsychologue m'a dit que j'avais un TDAH, avec de l'impulsivité et que j'étais (heureusement) plus intelligente que la moyenne, que ça se voyait à deux des quatre résultats et que les autres résultats étaient vraiment influencés par le fait que j'ai un trouble d'attention.

Au début, je riais et j'étais contente de savoir ce qui se passait, mais rapidement, je me suis sentie vraiment très triste. Ça m'a vraiment fait chier d'apprendre à trente ans ce qu'on aurait dû voir en moi assez jeune. Ça me fait vraiment de la peine aussi de me rendre compte des difficultés que le TDAH m'a causées. J'ai trouvé mes parents moyens d'avoir fait tester mon petit frère, mais pas moi quand j'étais plus jeune. Peut-être que mon parcours scolaire aurait été plus facile?

Puis, ce qui m'a le plus soulagée, c'est d'apprendre enfin que je n'étais pas conne, que ce n'était pas par manque de volonté que j'avais du mal à gérer un horaire. Ça explique mon manque d'organisation chronique, le fait que je sois un peu *messy*, que si je n'ai pas la motivation pour faire quelque chose, une tâche que j'aurais pu liquider en 10 minutes va me prendre trois heures.

Surtout, ce que ça me dit, c'est que maintenant, tout ce que je peux faire, c'est m'améliorer et trouver des outils pour être capable de *dealer* avec... tout ça! ∎

25 trucs

qui vous aideront (ou pas) à guérir votre maladie mentale

CAROLANE STRATIS

Certaines personnes sont réticentes à prendre des médicaments ou à consulter des psychologues ou psychiatres. Voici donc une liste de trucs qui ne fonctionnent pas pour aller mieux.

namasté.

1 Faire du **yoga**

2 Prendre du **zinc**

3 Prendre des **bains**

4 Se faire **masser**

5 Voir du **monde**

6 Faire une neuvaine à **l'ange Ambriel**

7 Prendre des **oméga 3**

8 Penser à **autre chose**

9 Boire de **l'eau**

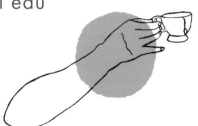

10 Faire des séances de
luminothérapie

11 Consommer du
millepertuis

12 Se coucher et se lever
à des heures
régulières

13 Équilibrer
ses chakras

14 Sourire
davantage

15 Penser à des
belles choses

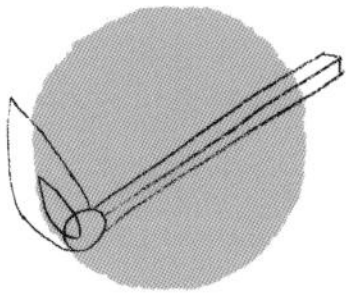

16 Prendre de la
vitamine D

17 Respirer
profondément

18 **S'occuper l'esprit**
avec des tâches ménagères
ou des travaux scolaires

19 Se lever
plus tôt

20 Essayer
l'aromathérapie

21 Prendre un élastique et le
faire claquer
sur son poignet

22 Écrire ses pensées
négatives sur un papier et
le brûler

23 Penser à plus
infortuné
que soi

24 Boire du
lait chaud
avec du miel

25 Se dire que c'est juste
dans sa tête !

Maude, 25 ans

Ton petit trouble de la personnalité limite

QUEL ÂGE AVAIS-TU QUAND TU AS EU TON DIAGNOSTIC?

J'ai reçu mon diagnostic en mars 2015, à l'âge de vingt-trois ans.

QUEL ÉLÉMENT DÉCLENCHEUR T'A FAIT CHERCHER DE L'AIDE?

Mes premiers symptômes du trouble de la personnalité limite sont apparus durant ma première année de cégep, lorsque j'avais dix-sept ans. J'ai eu mes premiers problèmes de consommation d'alcool et d'automutilation, en plus d'un épisode dépressif (qui ne fut pas diagnostiqué sur le moment, mais par la suite, en 2015). Avec les années, ma situation s'aggravait de plus en plus. Entre autres à cause d'événements difficiles, mais aussi parce que j'étais complètement perdue sur le plan émotionnel. J'avais des problèmes d'identité, de confiance en moi et d'attachement, mais je n'en étais pas clairement consciente. Je n'allais pas chercher d'aide à cette époque, parce que je croyais que tout était de ma faute. Je me sentais très coupable et mal par rapport à ce que je vivais. En fin de compte, je ne suis pas réellement allée chercher de l'aide par moi-même; ce sont principalement des amis qui ont dû me faire hospitaliser. J'ai appris en janvier 2015 que j'étais enceinte de deux mois, d'un gars pour qui j'éprouvais des sentiments, alors que lui n'en éprouvait pas pour moi. Je travaillais en cuisine dans un restaurant et je faisais environ 75 heures par semaine, tout en étant enceinte. J'étais complètement épuisée physiquement et mentalement, et j'avais un mal de vivre très paralysant que j'essayais de refouler en adoptant des comportements nuisibles (alcool, drogues, automutilation, troubles alimentaires). J'ai finalement subi un avortement à la fin de février, alors que le gars pour qui j'éprouvais des sentiments me faisait comprendre qu'il préférait ne plus me revoir. C'est à la suite de ces événements que j'ai eu ma première hospitalisation dans une urgence psychiatrique, à la fin d'une soirée trop arrosée où je mentionnais que je voulais mourir.

En tout, durant le début de mars, j'ai été hospitalisée à cinq reprises pour de courtes périodes (un jour ou deux), puis finalement pour un total de 10 jours à la fin du mois. Ce sont ces hospitalisations qui ont mené à mon diagnostic de trouble de la personnalité limite sévère avec épisodes dépressifs.

COMMENT AS-TU REÇU LA « NOUVELLE » ?

Je soupçonnais depuis mes premières crises d'automutilation que j'avais une maladie mentale, mais je ne connaissais pas vraiment le trouble de la personnalité limite. J'avais uniquement entendu parler du terme *borderline*, qui semblait être utilisé comme une insulte pour désigner des gens dépendants affectifs, excessifs, colériques, impulsifs, menteurs, manipulateurs, etc. Puis, en lisant la liste des critères et symptômes diagnostiques, j'ai ressenti un léger soulagement, puisque je m'y reconnaissais à 100 %. Depuis toutes ces années, j'avais la sincère impression d'être la seule dans ma situation, d'être un cas vraiment bizarre. Ça me rassurait de voir que tout ce que je vivais de très difficile était lié à ce trouble de la personnalité, que d'autres personnes devaient aussi être comme moi.

QUELLE A ÉTÉ LA RÉACTION DE TON ENTOURAGE?

Durant le mois de mars, j'ai parlé ouvertement de mon diagnostic à mes amis proches et à ma sœur, qui étaient très présents pour moi. Lors de mon hospitalisation de 10 jours, j'ai une dizaine de proches qui se relayaient pour venir me visiter et me tenir compagnie. Ils acceptaient très bien la nouvelle, puisqu'ils se doutaient tous et toutes que j'avais une maladie mentale, ayant été les témoins directs de mon parcours chancelant. Ce fut à la suite de cette longue hospitalisation que j'ai dû en parler avec mes parents. Ils ont bien pris l'annonce, mais je crois sincèrement que la plupart des gens m'entourant ne comprenaient pas (et ne comprennent pas vraiment encore à ce jour) ce que ça implique d'avoir un trouble de la personnalité limite.

Les six mois suivant mon diagnostic furent extrêmement difficiles. Je connaissais peut-être ma «condition médicale», mais au début, je m'attendais à ce que le tout finisse par passer lorsque les événements difficiles seraient derrière moi. Je n'étais pas encore consciente que ce trouble incluait bien d'autres choses que les excès. La plupart de mes proches s'attendaient aussi à ce que le tout se règle dans les mois suivant le diagnostic, alors qu'il s'agit de quelque chose qui m'affectera toute ma vie, à différents degrés. C'est cet aspect qui a été le plus difficile à comprendre et à accepter pour moi, et qui l'est encore aujourd'hui pour mes proches.

COMMENT VIS-TU (ET COMMENT AS-TU VÉCU) TA MALADIE ?

Après mon diagnostic, je me sentais victime de tout. Je n'avais pas l'impression d'exercer un contrôle sur moi-même ou sur quoi que ce soit. Puis, en octbre 2015, à la suite d'un été horriblement éprouvant mentalement, durant lequel j'ai découvert les bas-fonds de la maladie et d'un mal de vivre intense, j'ai fait les démarches pour consulter une psychologue au privé. Depuis, à travers mon trouble mental, j'ai appris à me connaître et à comprendre qui j'étais. Aujourd'hui, je vis un peu mieux avec ma maladie, puisque je la connais très bien.

QUEL A ÉTÉ TON TRAITEMENT ?

Depuis mon diagnostic, j'ai suivi plusieurs thérapies de groupe et j'ai été dans des programmes d'encadrement pour m'aider dans ma maladie. Mais c'est ma thérapie avec ma psychologue qui est devenue mon traitement le plus efficace. Je la vois chaque semaine depuis presque un an, et c'est ce qui m'aide le plus à aller mieux, quotidiennement. Je n'ai jamais pris de médicaments sur une base régulière pour mon trouble, malgré le fait que certains psychiatres l'auraient souhaité. Mon médecin de famille préférait attendre de voir comment je pourrais aller uniquement avec de la thérapie, puisque j'ai d'autres problèmes de santé physique qui auraient pu entrer en conflit avec une telle médication.

PARLE-MOI DES MANIFESTATIONS DE TA MALADIE DANS UNE JOURNÉE ORDINAIRE.

Maintenant que je suis consciente de ce que ma maladie implique au quotidien, je comprends mieux pourquoi mes journées me paraissent parfois très épuisantes. Ce qui me semble le plus difficile dans une journée, c'est que je ne connais pas les émotions neutres. Si quelque chose me fait rire, je serai euphorique et très excitée, plutôt que d'être simplement amusée. Et si quelque chose est un peu triste, je serai complètement dévastée et déprimée. Je ressens les émotions intensément et durant une très, très longue période. Tout affecte mes sentiments et mon moral, et ma perception des choses n'est

pas toujours représentative de la réalité. J'ai tendance à analyser mon comportement et à me culpabiliser pour chaque chose que je fais ou que je dis. J'ai très peur du rejet et du jugement. Chaque décision ou chose que je planifie est une source d'anxiété pour moi. Parfois, plutôt que de ressentir trop d'émotions, je me sens complètement vide. Ce sentiment de vide est très difficile à vivre et très paralysant mentalement. Toutes ces émotions, cette anxiété et ce sentiment de vide me poussent vers des comportements nuisibles (alcool, drogues, dépenses, sexualité à risque, troubles alimentaires, automutilation), qui constituent des moyens automatiques pour moi de remplir le vide ou de taire mes émotions. Maintenant, je ne me jette plus autant qu'avant dans ces comportements destructeurs, mais c'est très difficile pour moi de m'empêcher de les adopter puisqu'ils ont été, pendant longtemps, les seuls moyens que je connaissais. Je dois donc, chaque jour, tenter de me rassurer, de me contrôler, de me calmer, et surtout de ne pas me blâmer ou me culpabiliser.

QUELLE EST LA CHOSE LA PLUS POSITIVE QUE TA MALADIE T'A APPORTÉE ?

Je n'aurais pas pu dire ça il y a quelques mois, mais aujourd'hui, je comprends que mon trouble de la personnalité limite fait partie de moi. Il ne me définit pas, mais il fait tout de même partie de moi. Mon hypersensibilité peut parfois être négative, mais sans elle, je crois que je serais beaucoup moins compréhensive et empathique à l'égard de ce que les gens vivent. Je crois sincèrement que mon trouble de la personnalité limite (et mon diagnostic) m'a amené une énorme ouverture aux autres. J'étais déjà un peu comme ça, mais, lors de mes hospitalisations et de mes thérapies, j'ai côtoyé beaucoup de personnes qui m'ont marquée. Je refuse maintenant toute forme de jugement, et j'essaie d'être simplement présente pour les gens. C'est aussi grâce à ce que j'ai vécu que j'ai commencé à m'exprimer davantage par l'écriture et le dessin, qui constituent maintenant la base de projets très importants pour moi.

LA PLUS NÉGATIVE ?

Ce qui me semble le plus difficile, selon ma perception des choses, c'est de retrouver une bonne estime de moi-même après tout ce que j'ai vécu. Tous les comportements destructeurs que j'ai eus pendant les dernières années m'amènent énormément de culpabilité envers moi-même. La chose la plus négative est donc probablement ce cercle vicieux d'excès, qui a complètement détruit mon estime jusqu'à ce que je pense sincèrement que je ne valais rien. Encore aujourd'hui, je me juge pour tout et pour rien, en ayant souvent la forte impression que je ne réalise rien d'important.

Ce qui me semble le plus difficile, selon ma perception des choses, c'est de retrouver une bonne estime de moi-même après tout ce que j'ai vécu.

EST-CE QUE TU EN PARLES OUVERTEMENT ?

Oui et non. La majorité des gens qui m'entourent savent que je souffre d'un trouble de la personnalité limite. Par contre, lorsque je rencontre de nouvelles personnes, je n'en parle pas nécessairement. Il s'agit de quelque chose d'important pour moi, et je n'ai pas toujours l'envie de mettre de l'énergie à en parler avec des gens qui ne sont pas ouverts ou aptes à l'entendre. Par contre, j'essaie toujours de sensibiliser les gens sur ces sujets et j'ai de plus en plus le besoin de m'exposer comme je suis. J'en parle très ouvertement et sans censure avec les gens qui connaissent ma situation, et je voudrais éventuellement le faire publiquement par mes dessins et mes écrits.

COMMENT ÇA VA ?

Je suis fière de pouvoir dire que je vais de mieux en mieux. Je remarque des changements dans ma vie, dans ma façon de gérer mes émotions et dans mes réactions aux événements moins évidents. Ça demeure très difficile au quotidien, mais le fait de constater que ma situation est moins pire qu'elle l'a déjà été me donne de l'espoir pour le futur. Je réalise que c'est possible d'aller mieux grâce à ma thérapie et au travail que j'effectue sur moi-même à chaque jour, ce qui améliore aussi, par le fait même, mon estime personnelle et mon moral.

EST-CE QUE TU PENSES QUE TOUTES LES FILLES SONT FOLLES ?

J'ai toujours éprouvé un profond malaise avec l'association entre *femmes* et *folie*, puisque je considère qu'il n'y a aucun lien à faire directement entre ces deux termes. À mon avis, la « folie » touche tous les êtres humains à différents niveaux ou degrés dans leurs vies, peu importe leur sexe ou leur genre. Par contre, il devient souvent très difficile de définir cette folie, qui est très souvent associée à une signification péjorative lorsqu'elle est liée à la maladie mentale et aux femmes. J'ai la sincère impression que les femmes connaissent beaucoup de stigmatisation en raison de leurs émotions, de leurs choix, de leurs prises de position et de leur santé mentale, par exemple, une stigmatisation qui vient facilement avec l'étiquette péjorative « folle ». Plusieurs personnes semblent se servir de cette insulte pour décrire les émotions et les réactions à certaines situations vécues par les femmes comme étant illégitimes, et ça ne devrait pas être le cas.

La première fois que tu prendras tes antidépresseurs

CAROLANE STRATIS

On m'a déjà dit que j'étais conne d'avoir choisi des médicaments au lieu de l'alcool.

Ça m'arrive souvent de me faire dire que la première fois fout la chienne. J'ai des amies qui ont gardé leur prescription dans leur portefeuille pendant des semaines. D'autres qui ont regardé la bouteille pleine sans l'ouvrir, jamais... Ou jusqu'à ce que ça aille trop mal. On me demande tout le temps comment j'ai fait. Comment je me sentais la première fois que j'ai pris mes médicaments. La vérité, c'est que je ne me sentais plus.

On m'a déjà dit que j'étais conne d'avoir choisi des médicaments au lieu de l'alcool. On m'a déjà dit que trop de monde prenait des antidépresseurs. On m'a dit qu'on distribuait ça comme des bonbons. On m'a demandé, pour m'aider, pourquoi je n'essayais pas telle ou telle affaire naturelle. On m'a dit de faire du yoga à la place. On m'a dit d'arrêter de faire mon bébé et de prendre sur moi, que la vie n'était pas si laide. On m'a dit de trouver cinq choses positives dans ma journée pour aller mieux.

Commentaire éditorial : au lieu de faire le procès des médicaments qui m'ont sauvé la vie, peut-être qu'on devrait plutôt regarder ce qui se passe dans la société pour rendre les gens aussi malades. On pourrait parler de l'accès aux soins de santé mentale, par exemple, mais je m'éloigne.

On donne souvent l'exemple des diabétiques ou des cancéreux quand l'on compare la prise de médicaments pour des maladies invisibles à celle des médicaments pour la maladie mentale. J'aime beaucoup cette comparaison, parce que ça permet d'illustrer que oui, c'est possible de contrôler une partie de la maladie en changeant son mode de vie, son alimentation et en faisant de l'exercice – eille wow ! c'est vraiment les mêmes choses qui sont à changer avec la maladie mentale, sans *joke*. Cependant, il arrive que la maladie ne soit plus contrôlable, et hop! l'insuline devient non seulement nécessaire, mais absolument essentielle pour continuer à vivre. J'ai une tante qui est morte du diabète et comme elle, je sentais que je mourais à petit feu dans le pire de ma dépression.

Bien souvent, les gens s'opposent à la médication parce qu'il existe une multitude de trucs pour contrôler un peu mieux son humeur : manger plus d'oméga 3, faire 30 minutes d'exercice par jour, méditer, dormir des heures régulières, faire du yoga, changer d'emploi, prendre du temps pour soi, etc. Je pourrais parler longuement de tout ce qu'on me proposait de faire quand je disais que j'avais commencé mes médicaments (c'est justement le sujet du texte, page 50).

Sans vouloir voler le *punch*, l'affaire c'est que je me suis rendue à la tentative de suicide et qu'il n'y avait pas beaucoup de possibilités pour faire un *u-turn* dans ma vie à ce moment-là. Donc, j'ai volontiers pris les médicaments

> On m'a dit d'arrêter de faire mon bébé et de prendre sur moi, que la vie n'était pas si laide.

et je les ai volontiers changés quand ils ne fonctionnaient plus. Je les ai pris pendant mes deux grossesses, sous supervision médicale. Chaque fois, j'ai considéré que les bénéfices (dans le genre : avoir de l'énergie ou ne pas avoir envie de mourir) étaient plus grands que les risques associés à cette décision.

Quand une amie ou une connaissance ou une personne que je ne connais pas, mais qui connaît mon histoire via les réseaux sociaux me demande si elle devrait prendre des médicaments pour sa maladie mentale, je lui pose quelques questions :

Est-ce que tu fais confiance au médecin qui te les a prescrits ? Sinon, pourquoi ?

Pourquoi tu as peur de les prendre ?

Après les questions d'usage, je dirige souvent la personne vers des filles qui en ont pris et qui n'en prennent plus. C'est possible d'en prendre pour s'aider à remonter la pente, de s'en servir comme flotteur quand on a touché le fond et que la remontée est trop dure. C'est sûr que si c'est possible de voir une psychologue en même temps, c'est la meilleure combinaison. Et soyons fous : après, vous pourrez même faire de la méditation, du yoga, des listes de bonheurs, *name it* !

Personnellement, je vais peut-être prendre des médicaments toute ma vie, sauf que j'ai rapidement fait la paix avec ça quand j'ai vu comment ça m'avait aidée à passer au travers de mes deux épisodes dépressifs. Je me sers de mes médicaments comme d'une béquille, et c'en est une maudite bonne. La preuve : je suis encore là pour en parler ! ■

Un être de colère

JOSIANE STRATIS

Je n'ai pas eu de crise d'adolescence. Du moins, pas celle qu'on voit dans les films, les séries pour ados ou les images véhiculées par les médias. Je n'écoutais pas de musique forte, je ne faisais pas le party, je n'ai pas bu d'alcool avant d'avoir seize ans (ce qui n'est pas si pire), je ne prenais pas de drogue.

Ça ne veut pas dire que ça ne brassait pas dans la famille. On s'engueulait beaucoup entre frère et sœurs. Les chicanes étaient violentes, et les mots bien choisis pour décrisser un cœur et faire de la peine. Et puis, pour d'autres raisons pas évidentes à comprendre à l'adolescence (voir page 62), j'avais l'impression de marcher sur des œufs.

Quand j'ai commencé à boire et à faire le party, j'avais vraiment beaucoup de colère à exprimer. On ne sort pas de 16 ans de stress à la maison et d'exclusion à l'école en chantant des chansons à répondre. J'étais vraiment en colère.

La socialisation des femmes fait en sorte que si une femme est fâchée, elle est automatiquement vue comme une folle. La répression de la colère et l'accumulation de cette colère-là peuvent faire en sorte qu'une personne choisit une porte de sortie plutôt qu'une autre. La mienne, c'était l'alcool. Bref (LOL pas tant), j'ai souvent bu et j'ai souvent eu des comportements violents verbalement après une surconsommation d'alcool. J'étais vraiment méchante à un moment donné dans ma vie, et je finissais souvent mes soirées à vomir et à pleurer.

Quand je voyais ma psychologue, je n'étais pas prête à lui parler de ce comportement-là. C'est que j'ai quand même passé plus de 10 ans à régler mes *shits* de cette façon-là. Je sais que j'ai fait de la peine à beaucoup de monde (je m'excuse), mais j'étais tellement fâchée par plein d'affaires et de situations que je ne contrôlais pas.

Un jour, je me suis rendu compte du fait que j'étais vraiment en colère et que je gérais vraiment mal ça (bravo, coco!). Je me suis dit qu'il fallait que ça cesse. J'ai arrêté de parler à mes parents (voir page 96), j'ai appris à verbaliser mes frustrations. Aujourd'hui, j'exprime mieux ma colère, même si j'ai encore du chemin à faire. J'ai repris contact avec des personnes que j'aimais et que j'avais blessées. J'ai aussi coupé les liens avec d'autres, qui m'apportaient pas de joie.

À l'été 2016, j'étais au chalet d'un ami et l'une des filles présentes m'a dit que j'avais bien changé dans les dernières années, que j'étais vraiment plus mature et plus agréable socialement. J'aurais pu mal le prendre ou faire une *joke* sur le fait que j'ai écrit le *Guide pour une vie adulte (genre) épanouie* et qu'alors fallait bien prêcher par l'exemple, mais j'ai décidé de lui dire quelque chose qui n'était jamais sorti de ma bouche: « Je suis désolée. Avant, j'étais vraiment en tabarnak. » Bon, ça fait plus cute de dire que j'étais en colère, mais je lui ai expliqué que je gérais mal plusieurs affaires de ma vie et qu'à la place de les *fighter*, je buvais et j'étais en beau maudit.

Au début 2016, j'ai eu une passe vraiment *rough* à cause d'un contrat de travail, puis il s'est passé plein d'autres affaires pas le fun, mais en *joke*, j'ai créé un hashtag: #FévrierPositif. Au début, c'était vraiment de l'ironie. Ce mois-là, j'avais aussi décidé de faire un mois sans alcool.

Vous savez quoi? J'y ai survécu, comme j'ai survécu à toutes les merdes qui arrivent. Pas sans peine, mais j'ai fini par me trouver chanceuse, par voir le beau, les privilèges que j'avais. Je me suis dit que j'avais le droit d'être heureuse. Que j'avais le droit de n'être pas juste en colère.

Encore maintenant, je ne me le dis pas tous les jours, mais le plus souvent possible. ∎

Claudine, 32 ans

Ta petite automutilation

QUEL ÂGE AVAIS-TU QUAND TU AS EU TON DIAGNOSTIC ?

Je n'ai pas réellement eu de diagnostic concernant l'automutilation, ce fut plutôt une de mes enseignantes de morale au secondaire qui a vu les blessures que je m'infligeais. Celle-ci m'a ensuite recommandée à la psy de l'école. J'avais alors quatorze ans (seulement). À cette même époque, je souffrais aussi de préanorexie. C'est seulement à vingt-six ans, après toutes ces années d'incompréhension, que l'on m'a diagnostiquée et médicamentée : troubles de l'humeur, anxiété.

QUEL ÉLÉMENT DÉCLENCHEUR T'A FAIT CHERCHER DE L'AIDE ?

À quatorze ans, ce sont mes parents qui m'ont pris un rendez-vous chez le médecin après avoir remarqué que je maigrissais (en fait, ma diète principale était de la glace), que j'étais de plus en plus faible (je tombais sans cesse dans les pommes) et que mes bras étaient couverts de blessures. À cette époque, ce sont plutôt mes parents qui ont pris le taureau par les cornes puisque de mon côté, je me complaisais dans cette manière d'amoindrir le mal qui m'habitait.

À vingt-six ans, c'est une perte d'énergie globale, un mal-être incessant (malgré le fait que tout allait bien dans ma vie : bon emploi, réussite sociale, bon chum, famille présente) qui m'ont incitée à aller consulter une psychologue. J'avais aussi toujours envie de m'échapper, de m'amortir avec des pilules pour dormir afin de ne pas voir passer le temps... Malgré ça, j'étais fonctionnelle.

COMMENT AS-TU REÇU LE DIAGNOSTIC ?

À quatorze ans, quand ma psychologue m'a dit que je faisais de l'automutilation accompagnée de préanorexie, je n'avais pas vraiment d'émotions. En fait, je crois qu'à cette période de ma vie, j'avais le sentiment que cet état me différenciait, me caractérisait par rapport aux autres étudiants de mon école secondaire. J'étais une *fuckée*, et je pense qu'au bout du compte, j'aimais ça.

J'ai toutefois eu beaucoup de peine quand la mère de ma meilleure amie l'a envoyée dans un pensionnat parce qu'elle avait pris exemple sur moi en se mutilant à son tour. Ce fut comme un coup de poing au visage, puisque je ne faisais pas ça pour devenir un modèle, mais plutôt pour soulager mon mal-être.

À vingt-six ans, quand j'ai commencé à rencontrer ma psychiatre, elle n'a pas voulu me prescrire des antidépresseurs tout de suite. Elle souhaitait m'évaluer longuement avant, en connaître davantage sur mon passé, mes antécédents, etc. Au fil de nos rencontres, au fil des mois, je suis devenue désespérée... Comment allais-je m'en sortir SEULE, sans l'aide de médicaments ? Il me semblait que mon état allait bien au-delà des circonstances et de mon vécu. J'ai donc été vraiment soulagée quand elle m'a finalement suggéré de me tourner vers les antidépresseurs : je n'étais enfin plus seule, mon mal-être était justifié par une maladie que l'on appelait troubles de l'humeur et d'anxiété. Après tant d'années avec un nuage noir qui me suivait continuellement, j'allais peut-être y voir plus clair.

QUELLE A ÉTÉ LA RÉACTION DE TON ENTOURAGE ?

Mes parents ont été surpris de connaître les diagnostics que j'ai reçus à l'adolescence comme à l'âge adulte. Ma mère s'en voulait de ne pas s'en être rendu compte plus tôt, d'avoir mis cela sur le dos des circonstances, du manque d'exercice et de lumière, ou de l'avoir attribué au fait que j'écoutais de la musique triste. Il faut dire que mes parents ont perdu un enfant à la suite d'une leucémie quand j'avais deux ans et demi... Chez nous, nos bobos n'étaient jamais aussi graves que ce qu'avait pu vivre mon frère. En quelque sorte, ils étaient diminués par cela. C'était difficile de se «plaindre» puisqu'il y avait bien pire, nous n'étions pas si mal finalement...

COMMENT VIS-TU (ET COMMENT AS-TU VÉCU PENDANT) TA MALADIE ?

En ce qui concerne l'automutilation, celle-ci n'est jamais loin derrière, même si elle n'est plus aussi intense qu'avant dans ses méthodes (j'utilisais un cintre chauffé à la chandelle qui servait à brûler la peau, un petit compas du kit de géométrie pour me couper...). Avant la médication, il m'arrivait de me gratter volontairement au sang afin de détourner le mal-être qui m'habitait. C'était une manière de me punir, de marquer le mal-être par une blessure concrète que je continuerais à voir au cours des jours suivant l'acte. C'est quelque chose d'insidieux, parce que les gens pensent souvent que l'automutilation, c'est une ado qui se coupe avec un rasoir, sauf que ça peut aussi être d'autres méthodes pour se faire mal qui «paraissent» moins pires. Pour ce qui est de mon anxiété, elle ne se manifeste maintenant que très rarement.

QUEL A ÉTÉ TON TRAITEMENT ?

En ce qui concerne le traitement de l'automutilation, j'ai écrit beaucoup à propos de mes émotions, j'ai déchiré des pages. J'ai jasé avec ma psy de l'époque. Pour ce qui est de la préanorexie, ce fut des rendez-vous chaque mois à l'hôpital pour des prises de sang (incluant une prise du taux de fer), et surtout la réplique assassine de ma médecin de famille qui m'a dit que j'avais un teint de leucémique... Ce qu'elle a aussi répété à mes parents et qui les a fait pleurer. J'ai donc eu un choc à ce moment, ne souhaitant pas faire revivre la maladie à mes parents, ce qui m'a aidée à mieux m'alimenter. Pour les troubles de l'humeur et l'anxiété : médicaments et rencontres avec divers psychologues.

PARLE-MOI DE TA MALADIE DANS UNE JOURNÉE ORDINAIRE.

Aujourd'hui, je vais mieux puisque je suis médicamentée. Toutefois, une journée ordinaire, avant, pouvait consister à faire quelques rencontres, à entretenir une conversation avec quelqu'un, à retourner à la maison et à retourner 100 fois dans ma tête tout ce qui avait été dit, à le déconstruire, à l'analyser. Si quelque chose m'avait troublée dans la conversation, je prenais le téléphone et engageait une discussion avec ma mère, en lui racontant de long en large ladite conversation jusqu'à en être fatiguée. J'étais aussi incapable de faire du sport, car sinon il fallait que je dorme ensuite quelques heures, mon corps n'étant pas capable d'en supporter autant.

QUELLE EST LA CHOSE LA PLUS POSITIVE QUE TA MALADIE T'A APPORTÉE ?

Aujourd'hui je suis enseignante, coordonnatrice et tutrice dans le programme d'arts visuels au cégep, et j'accompagne un tas de jeunes dans leur parcours au collégial. Il m'arrive souvent de les diriger vers les services adaptés, des intervenants ou des psychologues. Il m'est plus facile de détecter leurs maux, puisque je suis

aussi passée par plusieurs problématiques. Je me sens également plus apte à comprendre ma fille qui, je l'espère, n'aura pas à affronter ce diagnostic... Si c'est le cas, au moins, je saurai y faire face avec elle.

LA PLUS NÉGATIVE ?

La plus négative est tous les instants que j'ai manqués à cause de mon anxiété, tout le temps que j'ai perdu à ne pas sortir parce que j'étais toujours fatiguée, parce que j'avais peur du regard des autres.

EST-CE QUE TU PARLES OUVERTEMENT DE TA MALADIE ?

Oui, quand l'occasion se présente. Surtout auprès de gens qui pourraient avoir besoin d'exemples positifs... Je vis maintenant bien avec ma maladie et si j'ai la chance de dire à des gens qui ne se sentent pas bien qu'il est possible d'aller mieux, de vivre autrement, je le fais...

COMMENT ÇA VA ?

Je vais bien, mais je suis parfois triste de savoir qu'une partie de moi est voilée par la médication. Bien que je sois toujours moi-même, que je vive toujours des émotions comme la tristesse, la colère ou même l'anxiété, cette large part de mélancolie s'est grandement effacée. Ça faisait aussi partie de moi, ces longs moments inactifs à être couchée sur mon lit et à pleurer, à tout tourner en boucle, à penser au passé, à craindre le futur.

Ma fille me permet d'être ici et maintenant. De canaliser mes émotions et de ne conserver que ce qui nous fait du bien, d'enregistrer tous les beaux moments dans ma tête (parfois trop) et de sourire tous les matins en me levant.

EST-CE QUE TU PENSES QUE TOUTES LES FILLES SONT FOLLES ?

Je ne crois pas que la maladie mentale ait un genre. Peut-être que les femmes sont seulement plus nombreuses à être traitées ou médicamentées. Les hommes sont peut-être plus en mode automédication avec l'alcool ou les drogues.

Les différentes approches en psychologie :
parce qu'un professionnel, ça se magasine

CAROLANE STRATIS

Quand j'ai eu besoin d'une psychologue, j'ai demandé une référence à une amie, j'ai appelé, j'ai eu un rendez-vous et ça a été le coup de foudre pour ma psy, qui me suit quand j'en ai besoin depuis. Je ne le savais pas, mais j'ai été chanceuse de trouver la bonne tout de suite.

Je ne sais plus le nombre de personnes qui ont pris des dizaines de rendez-vous avant de trouver le bon professionnel. C'est que, voyez-vous, en plus de la personnalité des psys, il y a différentes approches et différents courants de pensée en psychologie. De l'aide, ça se magasine (quand on en a les moyens, encore plus : allez lire le texte à la page 40) !

L'approche cognitive-comportementale
C'est l'une des approches les plus populaires parce que, si elle vous convient, elle vous aidera à prendre du mieux rapidement, en changeant des comportements ou des types de pensées qui vous font du tort. Souvent, on a des devoirs et tout. C'est une approche challengeante, puisque le principe est de prendre des comportements acquis, de les comprendre et de les changer pour des nouveaux qui seront plus adéquats.

L'approche existentielle-humaniste
L'orientation existentielle-humaniste est celle qui me convient le plus. D'une part, le patient est vu comme l'égal de son psychologue, ce qui peut aider à l'*empowerment*. D'autre part, cette orientation aide le patient à se prendre en main et à changer des comportements nocifs en vivant dans le moment présent. Le client reste engagé dans sa quête d'aller mieux et dans la compréhension de ses pensées. Perso, je trouve aussi que c'est une façon un peu plus empathique de comprendre ses problèmes, parce que moins « agressive » dans les stratégies pour changer les choses qui nous font du mal.

L'approche psychodynamique-analytique
Très près de la psychanalyse, le psychologue qui suit cette orientation avec son client analyse les comportements, expériences et acquis d'une personne qui lui font inconsciemment faire ce qui lui déplaît. Les conflits intérieurs cachent des peurs et les vraies motivations ; une fois que le psychologue a analysé ceux-ci, la personne peut aller mieux.

L'approche systémique-interactionnelle
Si je voulais résumer cette orientation théorique par un exemple, je n'aurais qu'à dire : thérapie de couple ou thérapie familiale. En fait, les principes derrière ce type d'intervention sont fort simples : une personne agit et maintient ses agissements par (et à cause de) ses relations avec les autres. En changeant sa façon de réagir devant certains comportements ou en rencontrant les personnes pour modifier ses comportements et ses pensées à leur égard, le patient peut arriver à régler des problèmes précis. ∎

Ordre des psychologues du Québec : www.ordrepsy.qc.ca

Une version améliorée de la tristesse

JOSIANE STRATIS

« Moi et mes amis travaillons fort
À noyer la douleur et l'ennui
Nous forgeons au sein de nos ivresses
Une version améliorée de la tristesse » –
Peter Peter, *Une version améliorée
de la tristesse*

Je suis le genre de personne un peu *moody* qui ne peut pas écouter trop de chansons tristes sinon elle craque. C'est pour ça que je n'avais pas écouté la chanson *Une version améliorée de la tristesse* de Peter Peter depuis longtemps. Elle est trop ancrée dans une période sombre et je l'écoutais pour faire passer les émotions que je ressentais à ce moment-là.

J'avais même fait mon bilan de cette année de marde là sur *Ton Petit Look*. Le temps a passé et j'ai travaillé vraiment fort à devenir heureuse ou enfin, un peu plus.

J'ai réécouté la toune aujourd'hui, en écrivant ce texte. Je me suis dit que c'était un bon moment pour écouter les paroles. La citation qui commence ce texte, c'est exactement les mots qu'il faut pour décrire comment je me sentais et comment je pense que mes amies se sentaient aussi à ce moment-là dans nos vies.

Je ne sais pas c'est quoi le *fuck*. Je me demande vraiment ce qui se passe avec les gens de ma génération, aussi con que ça puisse paraître de l'écrire de même. Je sais que pas mal de gens sont capables de boire pour avoir du plaisir, mais j'ai l'impression que ma vie d'adulte s'est passée entourée de gens tristes qui essaient, avec une demi-douzaine de bières et un peu de drogue, de *patcher* le fait qu'ils sont pas heureux.

Je ne sais pas si c'est parce qu'on nous a tellement dit qu'on pouvait faire ce qu'on voulait, et qu'avec de l'huile de coude, on allait y arriver. Sauf que de l'huile de coude et de la bonne volonté, ça ne te permet pas de manger à ta faim non plus. Je sais pas si c'est parce qu'on ne nous a pas expliqué qu'on allait vivre des affaires vraiment *tough*

chacun de notre bord, et que de parler de ses malheurs, c'est vraiment difficile. Je ne sais pas si c'est parce qu'on a grandi sans se faire dire qu'il faut être en forme du coco pour être en forme en général.

Je sais, par contre, que c'est facile de tomber dans la bouteille. C'est cool. Ne pas boire, c'est super difficile socialement. Boire, c'est comme la solution qu'on te montre un peu partout, quand tu es jeune. Ça donne du courage pour passer à travers la vie. C'est aussi vraiment très bien accepté socialement, de boire.

Ça me fait rire, parce que la première fois que j'ai arrêté de boire pendant un mois, c'était pour maigrir. Mon amie dans le temps était mannequin et m'avait dit que ça faisait du bien de ne pas boire un mois, pour dégonfler. Je l'ai fait, j'ai trouvé ça vraiment difficile, mais je l'ai fait. Puis, j'ai participé au Défi 28 jours sans alcool de la Fondation Jean Lapointe, pour essayer, mais aussi parce que ma psychologue du temps m'avait dit que c'était une bonne idée. Puis, je suis tombée enceinte et là, j'ai dû arrêter de boire parce que c'est pas bon. Puis, quand j'ai eu mon enfant, je n'ai pas eu envie de recommencer à me soûler tout de suite. J'avais trop peur de lui faire mal.

J'ai appris assez vite à boire ma peine, dans ma vie. C'est pour ça que j'ai toujours eu une relation d'amour-haine avec la bouteille. Je sais que boire, c'est le fun, mais boire ça masque ou ça enterre un paquet d'affaires. Confronter ses peurs, confronter sa peine, c'est vraiment difficile.

Ce que je trouve plate, c'est que c'est difficile d'avoir moins de comportements autodestructeurs. C'est vraiment difficile de faire face à ses propres affaires. C'est vraiment difficile de dire stop à ça quand ton entourage est juste de même. Changer d'entourage, c'est aussi quelque chose de pas facile et de pas super agréable à faire. C'est un gros deuil à vivre.

C'est peut-être aussi qu'on a été aspirés par les bars. Je me souviens d'un temps où on sortait les mardis, mercredis, jeudis, vendredis, samedis. Disons que ça laissait juste deux journées pour être sobre. On avait un horaire. Maintenant que je fréquente les bars un peu plus tôt et que je pars vraiment plus tôt, j'ai l'impression que j'ai moins à faire un concours de tristesse avec le monde qui m'entoure.

C'est peut-être aussi que j'ai vieilli. Ou que j'ai travaillé sur moi. Ou que je sais que j'ai le droit de plus être triste. Je suis juste contente de voir que cette toune-là ne colle plus du tout à ma réalité, que je m'en suis libérée. ∎

Une histoire de
violence

62

JOSIANE STRATIS

Dans toutes les maisons, je pense, il y a des histoires qu'on raconte en riant, et d'autres qu'on cache par honte, mais qui finissent par faire partie du folklore familial. Chez moi, il y a deux histoires marquantes. Je ne m'en souviens pas, mais on me les a tellement racontées que j'ai fini par les croire.

La première, c'est l'histoire drôle. Quand ma jeune sœur était petite, elle avait tout un caractère, et elle refusait de se départir de sa couche. Puis, un jour, à sa fête de trois ans, devant tout le monde juste après le gâteau, elle a fait un caca dans le pot sans dire un mot. Puis après, la légende familiale veut qu'elle ait été propre *forever*.

L'autre, ce n'est pas une belle histoire, mais j'ai envie de la raconter quand même. Je n'ai plus envie d'avoir honte.

L'histoire pas belle veut que, une fois, notre père nous ait appelées dans la cuisine. Il y avait des amis à la maison, et ils buvaient, venaient de manger un *awesome* repas, puis, il nous a appelées dans la salle à manger, et nous nous sommes présentées mains devant comme si on s'attendait à se faire frapper.

Alors voilà. Je me suis fait taper (et Carolane aussi) quand on était jeunes. On se faisait taper principalement parce qu'on faisait des affaires interdites, par exemple quand on jouait dans le fossé avec nos amis. Au début, c'était une tape sur les fesses, je pense qu'on s'est rendues à 10 ou

12 tapes par punition. Nous marchions les fesses serrées tous les jours. On se faisait aussi frapper sur les doigts, si on faisait ceci ou cela. Une taloche derrière la tête de temps en temps aussi, si c'était l'impulsion du moment. Le cerveau, c'est un organe fou qui oublie ce genre de détails rapidement, fait que c'est la première fois que j'en parle publiquement.

Un jour, mon père a tapé Carolane derrière la tête parce qu'elle lançait ses feuilles d'artichaut avec trop d'énergie dans le bol au centre de la table. Carolane n'a pas eu le droit de finir de souper et le lendemain, elle est tombée sans connaissance dans la douche. C'est la dernière fois qu'il nous a tapées. On vieillissait et ça devenait un peu *awkward*. On parlait plus fort, aussi.

Puis, il a switché. La violence est devenue verbale. Chaque jour, chaque geste qu'on faisait devait être sur la coche, je veux dire si lancer ses feuilles d'artichaut trop fort dans un bol peut mériter une tape derrière la tête d'un homme de 6 pieds 2 et 265 livres, c'est sûr qu'oublier d'éteindre une lumière, ça peut déclencher une colère encore plus grande.

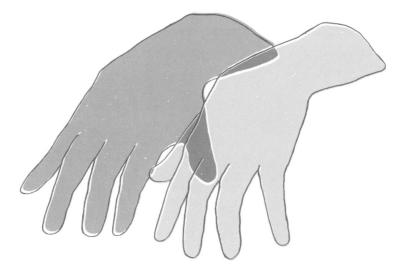

Quand on était dedans, dans ce climat de violence là, on ne le voyait presque plus. Et puis, on n'avait jamais rien connu d'autre. Chez nous, ça criait au souper. Chez nous, on se faisait traiter de pétasses et de salopes quand on s'habillait plus sexy pour aller dans un bar. Chez nous, on pleurait et pour qu'on arrête, nos parents nous donnaient des cadeaux. Ça nous a vite blasées.

La vie est quand même bien faite, parce qu'on a pu partir de chez nos parents pour aller dans une autre ville. On revenait la fin de semaine. Ça nous donnait juste deux jours de marde et cinq jours de break. Après notre première session de cégep, nos parents sont partis dans le Sud avec notre petit frère et notre petite sœur pour un voyage en famille. Sans nous. Principalement pour nous faire comprendre qu'on ne faisait pas tant partie du noyau, je pense, puisqu'on avait eu le front de partir étudier à la place de se joindre à la compagnie familiale. Une forme de violence comme une autre. Ça a l'air bébé dit de même, parce qu'à la limite, aller dans le Sud, on s'en torchait pas mal. On savait déjà que ce n'était pas trop notre truc. Mais on s'était fait exclure de notre famille. Ce n'était pas *nice*, et je crois que ça a enclenché quelque chose qui nous a permis de nous libérer de cette violence-là, éventuellement.

T'sais, on devient vite accro à ce genre de comportement quand on n'a rien connu d'autre. Quand personne ne te montre à communiquer de façon posée, c'est difficile d'avoir des conversations qui excluent le sentiment de peur. Encore aujourd'hui, si mon supérieur me chicane, je n'y peux rien, je braille. Encore aujourd'hui, si on me reproche quelque chose, ça me prend tout pour ne pas me mettre à douter profondément de moi. Je suis super sensible à toutes les formes de violence. J'ai de la difficulté à ne pas péter ma coche quand je suis fâchée... Et je m'enrage vraiment rapidement. C'est pire quand je suis soûle. J'essaie de ne pas boire quand je suis frustrée, pour ça.

J'ai longtemps pensé que ce n'était rien. Que c'était normal de vivre de la violence comme ça. Je veux dire : j'avais toutes les choses que je voulais. J'ai longtemps eu honte de présenter mes parents à mes chums. Je pense que j'ai invité des amies chez moi dans l'espoir que mon père ne nous crie pas après, parce qu'il y avait du monde.

Avant de me rendre compte de comment la violence physique et verbale de mon père m'a *fuckée*, ça a pris tellement d'années. Et je ne suis pas seule dans ma situation. C'est pas mal plus courant qu'on pense. C'est tellement flou aussi pour la personne qui est violente. C'est vraiment difficile de se dire que ce n'est pas ça, la vraie vie. Pis là, c'est la première fois que je me dis qu'il faut que je l'écrive. Je n'en ai même pas parlé à ma psychologue dans le temps. J'ai juste envie de vous dire que vous avez le droit de partir, même si votre entourage ne voit pas la violence ou qu'elle la minimise.

Pour ma part, je me suis promis de rester sensible à ça en élevant mon enfant. Je l'aime trop pour le briser de même. Le bon côté des choses, c'est que toutes les histoires ont une fin, même les histoires de violence. ■

Laïma, 27 ans

Ton petit trouble de stress post-traumatique

QUEL ÂGE AVAIS-TU QUAND TU AS EU TON DIAGNOSTIC ?

À vingt-quatre ans, j'ai eu un grave accident de vélo, quand je suis entrée en collision avec un camion. Le diagnostic de trouble de stress post-traumatique est arrivé quelques mois plus tard. J'avais alors vingt-cinq ans. Cette année, à vingt-sept ans, on m'a donné un nouveau diagnostic, celui de trouble d'adaptation avec humeur anxieuse. C'est en quelque sorte ce qu'il reste du choc post-traumatique après le traitement et le temps qui a passé.

QUEL ÉLÉMENT DÉCLENCHEUR T'A FAIT CHERCHER DE L'AIDE ?

Les mois suivant mon accident, je ressentais beaucoup de colère et de tristesse. Mon médecin m'a suggéré de consulter, pour m'aider à traverser cette période difficile. J'ai eu deux séances de thérapie, mais je n'ai pas aimé l'expérience, alors j'ai arrêté. Avec le recul, je pense que l'approche ne me convenait pas et que je n'étais pas prête à m'ouvrir. J'ai attendu quelques mois avant de relancer mes démarches. Après une convalescence de plus de six mois, j'avais réintégré ma vie «normale», et de nouveaux symptômes étaient apparus : déprime, tristesse, anxiété, cauchemars, etc. C'est lorsque j'ai fait une attaque de panique importante en pleine rue que j'ai compris que j'avais besoin d'aide. J'ai alors entrepris des démarches pour être admise en santé mentale dans un CLSC. Quelques semaines plus tard, j'ai commencé une thérapie supervisée par une équipe multidisciplinaire.

COMMENT AS-TU REÇU CE DIAGNOSTIC ?

Pour moi, ça a été un soulagement. Comme si le fait de mettre un mot sur mon état me rassurait. Je suis assez cérébrale de nature, j'ai besoin de comprendre comment je me sens pour me laisser aller émotionnellement. J'ai donc assez bien vécu le fait d'apprendre le diagnostic, que j'ai vu comme le début d'un cheminement qui m'aiderait à aller mieux éventuellement.

QUELLE A ÉTÉ LA RÉACTION DE TON ENTOURAGE ?

J'ai la chance d'évoluer dans des milieux (professionnel, familial, social, etc.) assez ouverts. Par conséquent, la réaction de mon entourage a été empreinte d'ouverture. Les gens me posaient des questions pertinentes et semblaient généralement souhaiter comprendre ce que je vivais.

COMMENT VIS-TU TA MALADIE ?

Ma thérapeute m'a expliqué que dans mon cas, c'est une condition qui m'habiterait toute ma vie. Bien sûr, ses manifestations seraient plus ou moins importantes en fonction d'une multitude de facteurs. Elle m'a aussi expliqué qu'une blessure psychique, ça peut être comme une blessure physique. Si elle est chronique, elle a tendance à se manifester davantage lorsqu'on est plus fatigué, stressé, nerveux, etc.

QUEL A ÉTÉ TON TRAITEMENT ?

J'ai eu une thérapie d'environ 15 séances d'une heure, échelonnée sur plusieurs mois.

RACONTE-MOI COMMENT PEUT SE DÉROULER UNE JOURNÉE LORSQU'ON SOUFFRE D'UN CHOC POST-TRAUMATIQUE.

Un choc post-traumatique, ça se produit lorsqu'on vit un événement traumatisant intense que le cerveau n'est pas capable de classer, d'archiver. L'un des symptômes principaux est le fait de revivre l'événement sous forme de *flash-backs*, par association. Dans mon cas, j'ai eu un accident de vélo, et suis entrée en collision avec un camion de couleur bourgogne. Trois ans après l'événement, il peut donc m'arriver de ressentir une grande anxiété ou même de me mettre à pleurer de manière incontrôlable à la vue d'un camion de la même couleur, si c'est combiné au bruit de la rue, et en apercevant un cycliste qui approche. Certains jours, lorsque je suis dans une période de fatigue ou de stress inhabituels, je me sens plus anxieuse dans la rue, au milieu du trafic, etc. D'autres fois, je ne ressens rien de spécial et je vis mon quotidien de façon «normale».

QUELLE EST LA CHOSE LA PLUS POSITIVE QUE TA MALADIE T'A APPORTÉE?

Je dirais que ça m'a amenée à me connecter à mes émotions de manière plus directe. J'ai tendance à être assez exigeante envers moi-même. Le fait de passer au travers de cette période de grande vulnérabilité m'a permis d'être plus indulgente et de m'accorder le droit de vivre des émotions plus sombres. Avant mon accident, j'avais tendance à ignorer les émotions dites «négatives» et à ne pas vraiment prendre le temps de les vivre. Maintenant, j'essaie de me percevoir comme une personne plus complexe, avec des variations légitimes au niveau émotionnel.

LA PLUS NÉGATIVE?

La chose la plus difficile est le fait que ça peut se manifester n'importe quand, surtout dans des lieux publics. De plus, c'est une condition qui a une incidence directe sur ma vie, sur mes déplacements et sur ma façon d'entrevoir le monde qui m'entoure. Aussi, après avoir vécu une crise de panique plus ou moins importante liée à une vision en particulier, l'anxiété peut m'habiter un bon moment, et c'est difficile de m'en remettre.

EST-CE QUE TU EN PARLES OUVERTEMENT?

J'en parle assez ouvertement. Certains de mes amis ont assisté à des attaques de panique ou simplement à des réactions de ma part, alors je prends toujours le temps d'expliquer ma condition lorsque je reviens à moi-même. J'ai la chance d'être entourée de personnes bienveillantes et j'ai l'impression que le fait d'en parler rend mes réactions plus normales. Le fait d'en parler m'*empower*!

COMMENT ÇA VA?

Globalement, ça va bien. Je me sens beaucoup plus en contrôle de ma condition maintenant qu'il y a deux ans. Lorsque je sens que je me trouve dans une situation potentiellement anxiogène, je parviens mieux à prendre le dessus et à «limiter les dégâts». Ma thérapie m'a vraiment beaucoup aidée à développer les stratégies adéquates, mais c'est aussi simplement le temps qui a fait son œuvre.

EST-CE QUE TU PENSES QUE TOUTES LES FILLES SONT FOLLES?

Pour moi, dire que toutes les filles sont folles est l'expression d'une pensée profondément rétrograde. Rappelons-nous que le terme *hystérique* est issu de la même racine que *utérus*, ce qui est en soi vraiment sexiste! Je pense donc qu'affirmer une telle chose encourage le maintien de stéréotypes de genre fondamentalement réducteurs, ce qui contribue à la création de doubles standards. Quand une femme s'exprime avec passion, elle est «folle», «trop émotive», alors qu'un homme qui a la même attitude est «confiant», «sûr de lui». En fait, je pense que toutes les généralisations de ce type enferment les femmes dans un carcan et dans des rôles restrictifs. Je crois aussi qu'il y a une banalisation langagière du mot *folle*, ce qui rend le concept flou et mal compris.

Les mois suivant mon accident, je ressentais beaucoup de colère et de tristesse. Mon médecin m'a suggéré de consulter, pour m'aider à traverser cette période difficile.

2

TON PETIT LOOK II
Les filles sont-elles folles ?

Cœur

« Nous avons compris l'emprisonnement que c'est d'être
une fille, qui vous oblige à rêver et finit par vous apprendre à
marier les couleurs. »

THE VIRGIN SUICIDES — (roman de Jeffrey Eugenides adapté au cinéma
par Sofia Coppola)

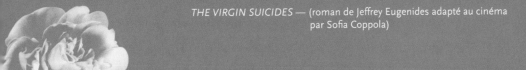

Tomber
en amour,
qu'est-ce que ça fait?

JOSIANE STRATIS

Je n'étais jamais vraiment tombée en amour avant. J'avais des solides *kicks* sur des gars et je faisais souvent des listes de gars que je trouvais intéressants. C'est un peu niaiseux, je sais, mais je trouve ça le fun, faire des listes.

J'ai rencontré ce gars-là à Chicoutimi, dans un party de bière où je m'étais rendue pour le travail, avec la webtélé où je faisais mon stage. Quand je l'ai vu, je pense que je me suis dit que je n'avais jamais vu un aussi beau gars de toute ma vie. On a passé notre soirée à parler, je ne comprenais pas trop ce qu'il me racontait, à cause de mon taux d'alcoolémie, mais bon, je savais juste que c'était la plus belle personne *ever*.

Le lendemain, en dessoûlant, je me suis dit qu'il fallait vraiment que je laisse mon chum du moment, et que je retourne vivre à Montréal. Surtout, je devais arrêter de travailler au bar de ma ville, parce que je ne pourrais jamais sortir de là vraiment (travailler dans un bar, c'est vraiment payant et c'est dur d'en sortir).

Bref, j'ai postulé pour une job à Montréal et ensuite, j'ai donné ma démission au bar, puis j'ai commencé à vouloir faire ma vie à Montréal.

Plot twist, le gars (celui du party de Chicoutimi) habitait à deux rues de mon appart à Montréal et on avait les mêmes goûts. Après quelques *dates*, nous avons décidé de sortir ensemble un peu avant Noël.

Wow, c'était vraiment le fun d'être en amour. Je crois bien que c'était la première fois, ou du moins la plus intense, de ma vie. Ça me faisait mal dans le ventre. Rapidement, cette douleur a pris toute la place et je faisais vraiment beaucoup d'angoisse. C'était difficile pour moi de réaliser qu'une personne que je trouvais tellement *nice* puisse aussi m'aimer.

Plus le temps avançait, plus j'avais de la difficulté à être moi-même. J'avais tellement peur qu'il me laisse, soudainement déçu de moi, quand il découvrirait mon angoisse et mes comportements excessifs. Il sortait d'une relation intense, des griffes d'une ex envahissante. Je buvais beaucoup parce que j'étais angoissée, et je pétais des coches à cause de l'ex de mon chum.

À un moment, je pense que c'était trop et je me suis rendu compte que je pouvais juste être en couple et être amoureuse, sans devoir vivre la peur de perdre mon chum à tout moment. De cette façon, être en couple faisait en sorte que nous nous respections pas mal plus tous les deux. J'avais eu l'impression que je devais performer dans ma relation amoureuse, être parfaite, ne surtout pas déplaire, ne surtout pas être moi-même, quand c'était pas ça du tout : si mon chum m'aimait (même avec une ex ultra-gossante), c'était pour ma personnalité, pas parce que ma personnalité était juste plus cool et moins lourde que celle de son ancienne blonde.

T'sais, tombez plein de fois en amour si vous voulez, mais relevez-vous. Restez pas par terre.

Je ne dis pas qu'il n'y a pas eu des nombreuses tempêtes, mais on a su naviguer assez bien pour avoir un beau petit garçon.

T'sais, un coup de foudre, c'est le fun, faut juste pas qu'il fesse trop fort. ∎

Wow, c'était vraiment le fun d'être en amour. Je crois bien que c'était la première fois, ou du moins la plus intense, de ma vie.

Quand et comment lever le *flag* pour une amie

JOSIANE STRATIS

Quand on a eu l'idée de faire le livre, j'ai eu une petite pensée pour mes amies qui souffraient d'une maladie mentale. J'étais comme : « Whoa ! Faut qu'on fasse un livre là-dessus ! » (On dirait peut-être que j'étais sur la *puff*, mais je vous assure que je n'avais pas fumé de pot.) Je me suis dit que, comme ça, on pourrait peut-être aider des gens.

Ce n'est pas chic, rentrer dans une urgence psychiatrique.

Il y a une histoire un peu triste (mais qui aurait pu être pire) qui nous est arrivée au début de 2016. Une amie était venue passer du temps à la maison, et elle n'arrêtait pas de parler. Genre sans arrêt. On se doutait bien que ça n'allait pas, parce qu'elle était d'ordinaire très posée, mais bon, elle avait le goût de parler, elle pouvait ben le faire.

Après deux jours, j'étais un peu étourdie et je devais aller travailler. Elle n'avait pas l'air d'avoir dormi et elle n'avait pas l'air d'avoir mangé trop trop non plus. Je devais aller conduire mon fils à la garderie avant 9 h 30 (sinon, je me fais chicaner, ha ! ha ! ha !) et je voyais bien que mon chum, qui devait aussi aller travailler, était stressé de la laisser seule.

La suite s'est vraiment passée super vite. J'ai reçu un appel de mon chum à 9 h 25, comme j'arrivais à la garderie : notre amie pensait faire un AVC. Elle voulait aller à l'Hôpital Saint-Luc. On lui a fait un *lift* jusqu'à l'hôpital et mon chum est parti stationner la voiture. Mon amie s'est enregistrée aux urgences et l'infirmière a très vite compris qu'il ne s'agissait pas d'un AVC.

Il s'agissait d'un épisode maniaque. C'était la première fois de ma vie que je voyais ça. Ça me faisait de la peine de voir cette amie comprendre ce qui lui arrivait. Ce n'est pas chic, rentrer dans une urgence psychiatrique. Il y a un lit, un

lavabo bien fixé au mur. On demande de retirer les vêtements sauf les petites culottes, et on fait enfiler une jaquette. La personne se fait retirer son téléphone, aussi. Tout est mis dans un sac en plastique. De voir ça et de voir la personne en crise comprendre ce qui se passe, c'est vraiment triste.

J'ai compris que, même si j'avais su dès le début ce qui se passait, je n'aurais pas pu la forcer à se faire traiter pour un trouble mental. Elle a dû se rendre à l'hôpital d'elle-même pour demander de l'aide. Mais j'avais été là. Des fois, c'est l'affaire d'une seconde, sauf que je me suis promis dans ma vie d'être là toutes les fois que ça arrive pour les personnes qui sont chères à mon cœur.

Aussi, même si on ne peut pas décider que quelqu'un a besoin d'aide, c'est important de lever le *flag*, surtout quand une personne présente plusieurs signes de maladie mentale ou de troubles mentaux. Ça peut être fait tout en douceur, par exemple en demandant comment ça va. C'est important d'essayer de creuser plus loin, aussi. Ça peut se faire autour d'un souper. Ça peut

être avec un petit message du type «je m'inquiète un peu pour toi» (voir page 25). Ça pis être là, être toujours là.

Avec la dépression de Carolane, disons que je sais que ce n'est pas facile d'être toujours là, et que je sais qu'il faut mettre ses limites. Par contre, je me vois comme un petit filet (pas de poulet, là, mais l'affaire pour pas que les acrobates meurent). Je suis là si elle tombe, je suis là si elle ne tombe pas. Je suis là en temps de crise. J'explique mes limites, mais je fais sentir ma présence (j'avoue que ça fait *creep* un peu, mais bon, je suis certaine que vous comprenez).

Les deux seuls conseils que je peux vous donner en tant qu'aimant à amie avec des troubles mentaux, c'est que vous êtes pas psychologues ni psychiatres ni médecins (à moins que ce soit votre vraie job) et que vous ne pouvez pas sauver tout le monde.

Et puis il y a des personnes qui ne le prendront jamais que vous vous inquiétiez d'elles. Ce n'est pas facile d'avouer qu'on est peut-être malade ou qu'on *deale* mal avec quelque chose. C'est sûr que si votre façon de lever le *flag*, c'est de confronter une personne directement en lui disant qu'elle a un problème, ça se peut que ça manque de finesse. Le but, ce n'est pas de pitcher vos quatre vérités dans la face de la personne.

Prendre conscience d'un problème, ça peut prendre du temps. Il ne faut pas l'oublier non plus. Et comme je l'ai dit plus tôt, c'est vraiment plate, mais la seule personne qui peut aller chercher de l'aide, c'est la personne qui a le problème elle-même.

Soyez là, si votre santé mentale vous le permet. C'est déjà une très belle chose. ■

La seule personne qui peut aller chercher de l'aide, c'est la personne qui a le problème elle-même.

Les amies parasites

JOSIANE STRATIS

Vous les connaissez, ces amies qui arrivent rapidement dans votre vie et qui s'y font une place en très peu de temps ? Ces personnes qui intègrent votre cercle d'amis rapidement, qui sont toujours là pour aider, qui pensent connaître votre vie dans les moindres détails ?

Rapidement, elles deviennent comme vous, elles ont le même style, le même genre de vécu, les mêmes plats préférés. Vous êtes leur saveur du mois. Elles peuvent même se trouver un chum dans le même cercle d'amis que le vôtre, pour que plus rien ne vous sépare.

Au début, c'est vraiment le fun, mais ça prend beaucoup de place. Ça devient une grosse responsabilité. De la gestion. La personne veut vous voir, elle vous parle tout le temps. Ça dure quelque temps.

Au bout d'un moment, plus capable de ne pas être elle-même, elle change, mais en essayant de vous faire changer avec elle. Ça marche rarement, alors la personne devient de plus en plus contrôlante. C'est habituellement dans cette période frustrante que l'amie en question se trouve une nouvelle amie, sa nouvelle saveur du mois.

À moins d'avoir un caractère fort, c'est quand même difficile de comprendre qu'on n'est plus la personne spéciale qu'on a été. T'sais, c'est le fun se faire aimer vraiment fort. Mais en même temps, et ça je vous le garantis, la vie redevient vraiment meilleure par la suite, parce que ce n'est pas le fun d'avoir un rapport qui n'est pas égalitaire quand on a des amies. Je veux dire, c'est correct d'admirer des affaires chez une personne, mais essayer de devenir comme elle, c'est un peu *creep* et c'est un bon début pour un film d'horreur.

Même si c'est parfois pas mal moins intense que ce que je raconte ci-dessus, ce genre d'amitié peut faire beaucoup de dommages à l'estime de soi et à la confiance. Et c'est facile de se sentir trahie.

Bref, ça vaut la peine de ralentir un peu quand une personne arrive un peu trop intensément dans votre vie. Ça peut aider à voir venir et à éviter les relations malsaines. ■

Les 50 fois où j'ai eu peur que tu me laisses

JOSIANE STRATIS

Un jour, j'aimerais écrire un livre qui s'intitulerait *Les 50 fois où j'ai eu peur que tu me laisses*. *Shotgun* sur le titre, OK ?

> *Je me demande souvent ce qui se cache derrière cette peur de l'abandon.*

Ouais, je me suis rendu compte que j'avais toujours peur qu'on me laisse, peu importe avec qui j'étais. Le stress me prend au ventre de temps en temps. Ça dépend des événements, ou de comment je me sens, mais j'ai toujours l'impression que je vais me faire laisser. Un moment donné, j'ai même commencé à dresser une liste des raisons pour lesquelles j'avais peur qu'on me laisse et ça me faisait un peu capoter de voir ça aller. Un jour, j'aimerais donc transformer cette liste-là en un livre, pour comprendre, enfin, et faire comprendre ce qui se cache derrière ce sentiment-là.

Mon père faisait toujours des *jokes* déplacées sur les femmes qu'ils côtoyaient. Ma mère, pour se défendre *I guess*, bitchait sur les autres femmes pour dire qu'elles étaient des « pétasses » ou des trucs du genre. Quelle belle dynamique de couple.

Il y a aussi un de mes ex qui me laissait de façon un peu *random* à tout moment. Rien pour améliorer ma confiance en moi et en une relation de couple simple et saine.

Je me demande souvent ce qui se cache derrière cette peur de l'abandon. Je n'ai pourtant pas vécu d'abandon majeur dans ma jeunesse. Reste qu'au secondaire, ça a pris vraiment longtemps avant que Carolane et moi nous puissions avoir des amitiés stables. En gros, on prenait trop de place et c'était difficile pour nous de comprendre comment les autres fonctionnaient.

Rapidement, nous avons transformé nos cœurs en pierre (Carolane en parle à la page 90). C'était notre façon de tenter de s'éviter de la tristesse.

Quelque part, je trouvais plus facile de subir que d'affronter des affaires. C'est la même chose avec mes amis en tant qu'adulte : j'aime mieux qu'une relation se termine d'elle-même plutôt que d'avoir à mettre mes culottes et de couper les ponts.

En amour, c'est pareil. J'ai de la difficulté à m'ouvrir complètement, à me dire que quelqu'un va vouloir rester avec moi même si des fois, je suis toute croche émotivement et que je traîne des boulets qui peuvent être lourds. C'est *tough* de se dire qu'il y a des personnes qui sont là pour rester, quand même tes parents ont décidé de t'éloigner le plus possible de leur maison, de leurs voyages, de leurs fêtes de famille. C'est difficile de se dire que c'est pas une raison de laisser une autre personne.

J'ai aussi de la difficulté à demander à mon chum de verbaliser clairement les choses, à lui dire : « Est-ce que tu veux partir ? » J'ai trop peur de la réponse. Un jour, mon chum m'a dit que j'avais toujours l'air prête à me faire *domper*, à m'arranger toute seule de mon bord. Eille, le choc, toi chose. Quand je me suis rendu compte que j'avais peur qu'on me laisse à tout moment et que je me préparais à cette éventualité même avec mon partenaire de vie, celui avec lequel j'ai, à date, la plus longue relation amoureuse, ça m'a fait comme un coup de pelle dans la face.

Ce que je dis, c'est pas non plus de sombrer jusqu'au cou dans n'importe quelle relation amoureuse, là. Il existe ce qu'on appelle un juste milieu qui peut être très intéressant entre avoir peur de se faire laisser tout le temps et tout abandonner pour suivre l'être aimé. Pour trouver cet équilibre-là, ben, ça aide de verbaliser des affaires. Aussi simple à dire que compliqué à intégrer de façon harmonieuse dans sa vie.

Mais si je suis capable, vous l'êtes aussi. On s'en reparle après la publication de mon roman ! ■

J'aime mieux qu'une relation se termine d'elle-même plutôt que d'avoir à mettre mes culottes et de couper les ponts.

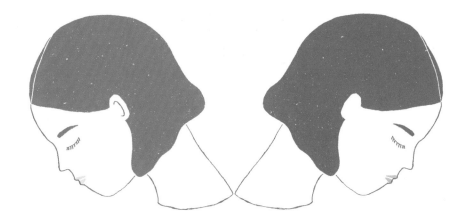

La fois où j'ai divorcé de ma sœur jumelle

CAROLANE STRATIS

Quand on nous demandait laquelle des deux jumelles était la méchante, Josiane et moi, d'un commun accord, avions décidé de répondre que c'était Josiane. Ce n'était pas méchant, mais c'est elle qui avait le plus de caractère.

J'ai longtemps été la plus gênée des deux. J'attendais que Josiane fasse le chemin, et je suivais. J'attendais : qu'elle nous fasse des amis, qu'elle nous trouve nos sorties, qu'elle trouve un emploi, le film du samedi, les fruits de nos smoothies. Elle réussissait mieux à l'école, aussi. C'était la meilleure des deux. Meilleure en maths, en français, en histoire. Je n'étais meilleure en rien, pour dire, sauf peut-être en dessin. Ce qui faisait que j'étais toujours un peu derrière.

C'était un cercle vicieux. J'avais beau faire des choses de mon côté, Josiane finissait par me rattraper et par le faire mieux. J'avais eu le premier chum, elle avait frenché avant moi. J'avais perdu ma virginité en premier, elle avait eu le chum le plus *steady*. Je traînais de la patte.

Je n'avais pas conscience de notre dynamique de marde. J'étais trop prise par le fait de courir derrière, en essayant tant bien que mal de rattraper mon retard. Ça me fâchait. Comme j'étais fâchée et que la colère ne sortait pas au fur et à mesure, j'explosais. Je réagissais avec violence. J'ai déjà frappé Josiane avec un bambou, une autre fois avec une chaise. Je devenais folle... *wait* ! Plutôt hystérique.

À la fin du secondaire, on était maganées toutes les deux. On l'avait eu *rough* à l'école et à la maison. Le fait de me sortir de là et de cette ville qui m'étouffait m'a fait le plus grand bien. Je me suis trouvée. J'ai commencé à avoir mes amies à moi, à avoir mon champ d'expertise. Je n'étais jamais la meilleure de mon groupe, mais je réussissais ce que j'entreprenais, je me démarquais même, et on me trouvait drôle. J'avais un emploi d'adulte. J'avais encore ma jumelle, aussi.

Mais plus je m'éloignais de Josiane, plus nos chicanes étaient intenses. Nous n'avions pas appris à vivre nos émotions autrement que violemment, *anyway*. Je me croyais en contrôle de ma vie, mais je m'étais juste laissé porter d'une chose à une autre. Je prenais ce qu'on m'offrait, même si je savais que ça allait me faire chier ou que ce n'était pas pour moi. J'étais dans un état léthargique. Un jour, j'ai perdu mon emploi et ça a été la première partie de mon *wake-up call*.

Quelques mois après, Josiane déménageait avec son chum. J'essayais tant bien que mal de reprendre ma vie en main. Ça allait de plus en plus mal. Je faisais des crises de panique tout le temps. J'essayais quand même des choses nouvelles. Pour voir comment ça allait aller.

Josiane a eu l'idée de *Ton Petit Look* et ça m'a pris quelques mois à embarquer. J'écrivais moins vite, j'étais encore une fois moins bonne. J'avais honte aussi. De ne pas comprendre tout de suite comment il fallait écrire et tout le reste.

Presque une année est passée. Je suis partie en France pour un stage étudiant. J'étais, pour la première fois de ma vie, loin de ma sœur jumelle. C'est la première fois que j'ai vu que je pouvais vivre sans Josiane. Devenir une personne à part entière. C'était assez épeurant. Et je me cherchais encore tout le temps.

Au jour de l'An de 2012, c'est comme si mon cœur venait de se briser. J'étais au début de ma dépression et je sentais que je devais faire le ménage dans ma vie. Je me sentais trahie par la vie. Je suis tombée de haut et j'ai décidé que c'en était assez.

À ce moment-là, j'ai décidé de couper tout le monde de ma vie. Je n'avais plus confiance en personne, de toute manière. Je suis partie en voyage. Je suis déménagée. Le senti-

ment d'être toute seule était encore là. Trop là. J'ai décidé de me suicider. J'aimerais dire ça autrement, mais c'est à ce moment-là que Josiane et moi on a compris qu'on avait besoin de temps chacune de notre côté pour se réparer.

Ça a duré environ six mois, période pendant laquelle j'essayais le plus possible de régler mes problèmes et d'apprendre à m'affirmer. Je devais aussi me construire une vie. Je voyais une psychologue deux fois par semaine, question de *work out so many issues*. Je devais me guérir de mon enfance et me trouver une vie juste à moi.

Nos amis communs essayaient tant bien que mal de nous faire entendre raison. Je pensais souvent à elle. J'avais mal de ne pas pouvoir lui raconter certaines choses. Avec le recul, je suis tout de même contente d'avoir fait un gros bout de chemin toute seule pour me reconstruire et apprendre à vivre par moi-même avec mes décisions.

Le divorce a duré jusqu'à ce qu'on parte à New York ensemble. C'est quand même drôle, deux jumelles qui ne se sont pas parlé depuis des mois qui décident de faire un voyage ensemble. Après avoir cheminé chacune de notre côté, on allait rouler six heures dans la même voiture. Une nouvelle croisée des chemins. Cette fois, nous allions continuer la route ensemble, nous étions prêtes. ■

Maudite jalousie*

JOSIANE STRATIS

La plupart de mes chums m'ont trompée à un moment ou à un autre dans nos vies de couple. Y paraît qu'il faut *forgive but don't forget*, et surtout essayer de digérer la pilule après un moment.

Vous allez peut-être verser une couple de larmes, mais vous vous sentirez mieux.

Aujourd'hui encore, je reste sur mes gardes, parce que j'aime beaucoup ma petite vie de famille, et surtout, j'aime beaucoup mon chum. Eh oui, avoir peur de se faire tromper peut fait en sorte qu'une personne développe des comportements jaloux. Mais quand le partenaire sait qu'une personne a peur de se faire tromper, elle peut la rassurer, surtout si la personne le verbalise.

Dans les milieux féministes que je fréquente, la jalousie est souvent mal vue. Parfois, on y assimile «protectionnisme amoureux» et *slutshaming*. Or, ce n'est pas parce que je veux protéger ma relation que je vais automatiquement juger les autres filles sur leurs mœurs ou leurs pratiques sexuelles.

Je crois aussi que se rendre compte que son chum se fait cruiser (et disons-le, ce genre de situation arrive facilement sur Internet), ça peut être très difficile à gérer. On pourrait, par exemple, avoir peur de perdre la face devant les amis de notre chum («tchecke comment la fille ne voit pas que son chum se fait cruiser *big time*»). On pourrait aussi avoir le sentiment que notre chum cherche cette valorisation («il aime ça se faire cruiser, parce que ça fait longtemps qu'il est en couple, ça le rassure»). Enfin ça pourrait ébranler notre confiance en soi («je ne suis pas assez belle, pas assez bonne, pas assez intéressante»). Ouch, l'ego.

Dans tous les cas, cette *game*-là fait mal, parce qu'elle vient jouer dans nos bibittes. Certes, c'est facile de refuser d'y penser... Jusqu'à ce que quelqu'un te mette ce comportement-là dans la face. Je me souviens par exemple d'avoir cruisé un gars pour le fun pendant tout mon bac. C'était connu de mes amies de bac et on s'en parlait souvent. Même si j'avais un chum, je trouvais le

Je me suis trouvée conne d'avoir considéré une personne comme un défi juste parce qu'au fond, je n'étais pas vraiment heureuse et épanouie avec le gars avec lequel je sortais...

gars donc ben beau. J'imaginais qu'il y avait une tension sexuelle entre nous pis je voulais donc ben réussir à le frencher un jour ou l'autre. Je savais qu'il avait une blonde, mais ça ne me dérangeait pas trop. En fait, ça m'amusait presque de savoir que ça la challengeait. Je suis tombée célibataire à un moment, mais lui, il était encore avec sa blonde. Puis, il est tombé célibataire, mais moi, j'avais un chum. Puis finalement, nous avons été célibataires tous les deux, puis on s'est réellement frenchés, puis c'était fini. De mon côté en tout cas.

Gros *turn out* dans ma vie, je suis devenue amie avec l'ex du gars, après. Après quelques mois d'amitié, j'ai décidé de lui dire que j'avais frenché son ex. Je voulais *come clear* avec elle. Je me suis rarement sentie aussi mal dans toute ma vie. Je sais à quel point ça lui a fait de la peine et surtout, je sais que ça a brisé notre amitié. Je me suis trouvée conne d'avoir considéré une personne comme un défi juste parce qu'au fond, je n'étais pas vraiment heureuse et épanouie avec le gars avec lequel je sortais pendant que je faisais mon bac.

Pour en revenir à maintenant, je crois qu'une des choses les plus difficiles, c'est de verbaliser cette jalousie-là. On pense qu'on a deux choix: avoir l'air d'une folle (!!!) jalouse ou mourir en dedans quand une fille écrit (encore) sur le *wall* de notre chum. Et la petite voix qui dit de subir la chose pour pas perdre la face plutôt que de verbaliser, elle est super *tough* à faire taire. Puis, quand l'entourage te brandit du *#GirlCode* ou *whatever*, c'est encore plus dur.

Au final, matante Josiane vous le dit: même si c'est pas l'fun comme discussion, la façon la plus efficace de faire diminuer la taille d'un abcès, c'est souvent de le crever. Vous allez peut-être verser une couple de larmes, mais vous vous sentirez mieux. *#SelfRespect*.

* C'était trop facile. ;-) ∎

Qu'est-ce qui rend les filles folles... en amour ?

CAROLANE STRATIS

Eh non! Nous ne pouvions pas écrire un livre sur la folie des femmes sans aborder THE sujet cliché : la folie des femmes en couple! Le problème, c'est que nous avons beau être assez folles, Josiane et moi, nous n'avions pas assez d'anecdotes pour en parler si longtemps que ça. Alors nous avons demandé à nos amies de nous dire ce qui les rendait folles en couple :

- La peur de ne pas être à la hauteur
- La peur de perdre l'autre
- Ne pas être certaine des sentiments de l'autre
- Qu'il/elle en aime une/un autre
- Ne pas avoir l'impression de donner la même chose que ce que je reçois
- La peur de la non-réciprocité
- La peur qu'une personne cruise mon amoureux/amoureuse et qu'il/elle ne dise pas non
- La peur que les amis célibataires de ma *date* l'entraînent dans le vice
- Les secrets et les mensonges
- La peur du rejet
- La distance et le silence
- La compétition entre filles (surtout avec celles que j'imagine être mes rivales et qui n'en sont pas)
- La peur de ne pas être assez cool
- La peur d'être moins intelligente que ma *date*
- La peur que toutes mes insécurités se révèlent vraies

Ça en fait pas mal, han ?! ■

Arielle, 24 ans

Ton petit *breakup*

RACONTE-NOUS BRIÈVEMENT POURQUOI VOUS VOUS ÊTES LAISSÉS.

Mon ex a un trouble de la personnalité limite, et il ne fait pas des choix de vie sains pour le contrôler. Pendant notre relation, en plus d'avoir des comportements addictifs (comme la cocaïne), il m'a trompée trois fois et m'a caché d'importantes dettes. Les deux premières fois qu'il m'a joué dans le dos, je lui ai pardonné, car on s'aimait énormément, mais la dernière fois, je l'ai quitté par respect pour moi et pour préserver ma santé mentale.

EST-CE QUE TU AS TOUJOURS ÉTÉ EN PAIX AVEC TA DÉCISION ?

Oui. Je l'avais déjà quitté quelques mois l'année d'avant, mais je sentais qu'il me restait quelque chose à vivre avec lui. Maintenant, comme je sais que j'ai fait TOUT mon possible pour l'aider et nous réconcilier, je suis en paix.

RACONTE-NOUS LA TENTATIVE DE SUICIDE DE TON EX.

Nous n'étions plus en contact depuis quelques semaines (je l'avais bloqué partout), mais un de ses amis m'a écrit un matin pour m'annoncer que mon ex était à l'hôpital. Je m'y suis tout de suite dirigée et j'ai passé la journée avec lui, afin de l'accompagner pendant qu'il rencontrait divers spécialistes et psychiatres.

COMMENT TE SENTAIS-TU, CETTE JOURNÉE-LÀ ?

Triste. Vide. Il m'avait déjà parlé de suicide, quand on était ensemble, mais je ne pensais pas qu'il allait faire une tentative. Je crois que c'était plus un cri d'alarme pour que son entourage comprenne sa détresse qu'une réelle envie de mourir.

COMMENT S'EST PASSÉE LA FIN DE VOTRE JOURNÉE ?

Je l'ai serré longuement dans mes bras, avant de le laisser partir chez lui. De mon côté, une amie est venue me chercher pour me conduire chez mes parents. J'avais besoin de me sentir en sécurité.

PENSES-TU QU'IL AVAIT FAIT SA TENTATIVE DE SUICIDE POUR TE RAVOIR ?

Je ne crois pas qu'il a fait ça pour me ravoir, mais bien pour rétablir un dialogue entre nous. Je crois qu'il a une réelle souffrance, mais que son geste était plus un cri d'alarme. Et malheureusement, il n'est pas conscient que d'utiliser sa souffrance ainsi équivaut à manipuler les gens qu'il aime.

EST-CE QUE TU AS SENTI QU'ON TE MANIPULAIT DANS CETTE SITUATION ?

Oui, même si je crois qu'à ce jour encore, il ne se rend pas compte qu'il m'a manipulée. Je ne lui en veux pas, puisque qu'il est clairement malade, mais il ne faut pas minimiser les impacts que ses comportements et sa manipulation a eu sur moi et ma santé mentale. En bout de ligne, je suis juste soulagée d'être sortie à temps de cette relation qui m'a grugé énormément d'énergie.

EST-CE QUE TU AS PEUR ?

Non.

EST-CE QUE TU CONSIDÈRES QUE C'EST UN ACTE VIOLENT?

Oui, autant envers lui-même qu'envers moi. Mais ce qui est encore plus violent, selon moi, c'est qu'il n'a toujours pas changé ses habitudes de vie afin d'aller mieux.

QUELS SONT TES CONSEILS POUR LES JEUNES FILLES QUI POURRAIENT AVOIR À VIVRE UNE SITUATION DU GENRE?

De ne jamais s'isoler de leurs ami-e-s, même pendant la plus belle des relations amoureuses. Mes ami-e-s et ma famille ont été mon filet de sécurité quand j'ai décidé de quitter mon ex, et souvent, les gens autour de nous perçoivent mieux que nous la dynamique de notre couple. Aussi, il ne faut pas avoir peur d'aller chercher de l'aide psychologique afin de panser les blessures que notre relation nous a laissées.

COMMENT ÇA VA?

Bien, en général. C'est plus difficile par petits bouts, mais c'est normal. Je me concentre sur les gens autour de moi, sur mon travail et sur les choses que j'aime.

EST-CE QUE TU CROIS ENCORE À L'AMOUR?

Oui, mais ma perception de l'amour a changé. J'appréhende ma prochaine relation (qui ne sera pas de sitôt), car j'ai peur de tomber sur une autre personne qui a une boîte de Pandore enfouie en elle. Je me souhaite juste une dynamique saine.

EST-CE QUE TU PENSES QUE TOUTES LES FILLES SONT FOLLES?

Oh my God, certainement pas. Même si, parfois, c'est ce que la société semble vouloir leur mettre dans la tête.

Il ne faut pas avoir peur d'aller chercher de l'aide psychologique afin de panser les blessures que notre relation nous a laissées.

83

Cinq endroits pratiques pour pleurer

JOSIANE STRATIS

S'il existe un mécanisme de défense contre le fait que la vie c'est parfois de la marde, c'est bien de pleurer. Perso, je pleure partout : à la maison, au travail, devant mes amis, devant des gens qui ne sont pas mes amis. J'ai pleuré dans un train, des autobus, des métros, des chars, sur des rues, des trottoirs, dans des maisons, des apparts, des bars, une église, des salons funéraires, des parkings... J'ai pleuré plus souvent qu'à mon tour. Et ça m'a fait le plus grand bien.

Je pleure quand je regarde un film, un mariage, des vidéos tristes sur YouTube, des vidéos pas tristes sur Facebook, devant les Olympiques, quand je lis des livres, quand je suis fatiguée, quand je vais être menstruée. J'ai un doctorat *honoris causa* en pleurs (à l'université de la vie, en plus, ha!) et ça me rend presque fière.

Je me souviens d'une fille, Joannie, qui m'avait dit, dans un cours d'anglais de secondaire 3, que j'étais une personne sensible. Et j'étais partie à pleurer devant toute la classe. J'avais tellement honte que ça me faisait mal et que 15 ans plus tard, je m'en souviens encore. J'ai *skippé* l'école le lendemain.

Tout ça pour dire qu'il y a certains endroits pour pleurer plus pratiques que d'autres. Je partage mes trucs ici, avec grand plaisir.

1. DANS LA DOUCHE

Quand j'étais jeune et pleine de sentiments, j'ai lu l'excellent *Anna* de Louis Gauthier (Bibliothèque québécoise, 1999 [1967]). Dans ce livre, une phrase m'a particulièrement touchée. Depuis, je la répète à tout vent : « L'eau lave l'âme, mais la serviette la repeint. » Depuis ce temps-là, j'essaie de pleurer dans la douche le plus souvent possible. En plus, j'ai l'impression que ma face enfle moins, et c'est *legit* de sortir de là mouillé de partout et un peu rouge (me suis-je fait un masque exfoliant ou ai-je pleuré, *you can't say*).

2. DANS LA CUISINE

Des fois, j'ai le goût de pleurer, mais je ne suis pas capable de le faire. La panne sèche. Alors, dans ce cas extrême, je trouve la raison parfaite pour justifier ma passion de manger des oignons crus pour le fun, ou des échalotes françaises, et je croque dedans comme si c'était une pomme. Émotions garanties et mauvaise haleine aussi.

3. DANS LES TRANSPORTS EN COMMUN

Ce que j'aime le plus, c'est confronter les gens qui m'entourent avec mes émotions. Pleurer dans les transports en commun, c'est faire de ma passion une occasion de créer un malaise (mon autre passion). En plus, je vous le dis, personne ne va venir vous parler, PARCE QU'Y FAUDRAIT SURTOUT PAS AIDER LES AUTRES, HAN?

4. DANS UN CONGÉLATEUR / DEHORS QUAND IL FAIT FROID

Quand j'étais serveuse, des fois, les soirées étaient tellement chiantes que j'allais dans le frigo ou le congélateur pour brailler un coup. Le froid provoque un effet de surprise et ça donne juste assez de motivation pour pleurer rapidement toute sa peine.

5. DANS SON LIT

Ça aurait pu être le numéro 1, mais comme ça va vraiment de soi, j'ai décidé de le mettre au cinquième rang. L'important, c'est de s'arranger pour que votre lit devienne votre cocon à pleurage. Ça fait tellement du bien de savoir que vous avez le droit de faire ce que vous voulez à cet endroit-là.

En espérant que vous vous donnez aussi le droit de pleurer. ∎

Toutes les filles sont folles, sauf toi

CAROLANE STRATIS

« Toutes les filles sont folles, sauf toi », qu'il m'a dit. Pis j'étais contente. Ça voulait dire que j'étais *one of the boys*, que je valais plus que la trâlée de filles hystériques qui nous tournaient autour. J'avais des émotions contrôlées ; en fait, j'essayais de ne pas avoir d'émotions du tout.

J'essayais le plus possible de contrôler « ma folie ». J'avais besoin d'être normale, mais aussi d'être mise sur un piédestal, de me sentir différente des autres. J'avais une jumelle, j'avais l'impression que je ne serais jamais bonne dans rien, alors je voulais ne plus rien ressentir.

Je me suis automédicamentée dans l'excès avec l'alcool. Aussi cliché – et pas spécial – que ça puisse être. Un jour, j'ai commencé à *blacker-out* et c'était incroyable, le sentiment de vide qui se trouvait dans ma tête après.

Il y a eu mon viol, les fois où je me suis battue, les gars avec qui je couchais pour me remplir, les vomis dans le stationnement, dans l'auto de tout le monde, dans ma salle de bain. Tout ce que je voulais, c'était me sentir vide. Tout simplement. J'ai essayé de lire le plus de livres possible (le beau problème), d'écouter le plus de films et de musique pour vivre toute la peine que j'étais en train d'amasser, mais rien n'y faisait. Je pouvais écouter *Metal Heart* de Cat Power 100 fois de suite. Je dois avoir vu *The Virgin Suicides* autant de fois.

Je suis arrivée au point de non-retour et j'ai essayé de mourir. Quelques semaines plus tard, au téléphone avec la personne qui m'avait dit que j'étais la seule fille pas folle qu'il connaissait (un compliment, je vous ferai remarquer), je me suis mise à pleurer et à m'excuser. La personne à qui je parlais ne comprenait pas pourquoi je m'excusais, alors je lui ai dit : « Je m'excuse d'être folle. Je voulais tellement être la seule fille pas folle. »

Ça l'a bien fait rire. Dans le sens qu'il ne me voyait pas plus folle qu'avant ma tentative. Avec le temps, j'essaie d'*embrace* le fait que je suis diagnostiquée et médicamentée. Je suis folle. C'est dans mon dossier médical. J'en parle sans tabou, que ça plaise ou non, que ça rende mal à l'aise ou pas. Ça ne me dérange plus de dire que je suis malade et que je le serai peut-être toute ma vie.

Il y a beaucoup de honte qui entoure les maladies mentales. J'ai décidé que s'il y avait bien quelque chose que je pouvais contrôler et atténuer, c'est cette honte. C'est ma façon d'avoir un *Metal Heart*. ∎

Désolée (*not*) si je lève le *flag* sur ton chum

JOSIANE STRATIS

Quand j'étais jeune, ça me faisait de la peine de voir comment mon père agissait avec ma mère. Je me souviens que très tôt, je trouvais ça donc ben intense, ses *calls* sur les autres femmes. Je me demandais aussi pourquoi ma mère ne faisait jamais d'activités toute seule, ou même avec des amies, à l'extérieur de la maison.

Dans le spectre de la violence, il y a plusieurs degrés.

Mes deux parents étaient toujours ensemble, ou sinon, ma mère était avec nous pendant que mon père était *whatever* où. La seule fois où elle avait du temps pour elle toute seule, c'était quand elle faisait des cours de peinture sur bois.

Je pense que j'ai compris que mon père avait le contrôle sur ma mère alors que j'étais dans la fin de mon adolescence. Puis, je suis devenue super sensible à ça et surtout super protectrice avec mes amies.

Désolée à toutes les filles à qui j'ai dit que tel ou tel agissement de votre chum n'avait pas de bon sens... Mais la vérité, c'est que je ne suis vraiment pas désolée: personne ne mérite une forme de violence ou une autre, et personne sauf vous ne devrait contrôler votre vie.

Mon doux que j'ai entendu des histoires pas possibles avec les années. Il y avait ce chum qui sortait avec une amie et qui lui demandait toujours si elle allait frencher des gars quand on sortait prendre un verre. Il lui a posé la même question à un barbecue entre filles, une fois. *I mean*, il y avait aucun gars...

«Mais il dit pas ça pour mal faire, il le pense pas, il fait ça parce qu'il a pas confiance en lui.» Non. Il dit ça pour te contrôler, pour te *drag down*. Pour que tu n'aies pas de fun, parce que ça le stresse de voir qu'il a pas le contrôle sur toi.

« Mon chum m'a dit que je suis rendue un peu toutoune, il aime moins ça, je trouve ça tellement gentil de sa part d'être honnête avant qu'il ne m'aime plus. »

Déchirer virtuellement ma chemise en criant: Non, sacrament! C'est pas honnête, c'est vouloir contrôler ton corps, c'est une forme de violence, car il te rentre tranquillement dans la tête que la seule façon d'être correcte, c'est de correspondre à ce qu'il veut.

« Mon chum a décidé qu'on était un couple ouvert. Mais si je frenche une personne dans sa face, il me le remet sur le nez. C'est pas de la vengeance, c'est juste qu'il trouve ça difficile de me voir faire ça. Quand je lui parle de la fille avec qui il a couché en voyage, par contre... »

« Mais c'est qu'il est stressé », « Il a de la peine », « Il a eu une grosse journée, il est pas toujours comme ça ».

Dans le spectre de la violence, il y a plusieurs degrés. C'est pas tous les gars violents qui vont se rendre à la violence explicite (violence physique, menace, viol). Par contre, si une personne vous enlève de l'autonomie (vous empêche d'être en mesure de faire quelque chose par vous-même) ou remet en question votre façon de faire (vous fait sentir inadéquate), il faut que ça vous sonne une cloche.

C'est pas parce que vous aimez une personne que vous devez accepter qu'elle vous traite de conne, qu'elle ait des gestes ou des propos dégradants, qu'elle vous humilie. Si votre partenaire vous empêche de faire certaines choses, c'est aussi le symptôme d'une relation pas pantoute égalitaire, avec tendance violente.

Personne mérite ça. Personne.

Puis c'est sûr qu'on ne peut pas demander à quelqu'un qui a vécu de la violence ou qui a été témoin d'une certaine violence de faire comme si de rien n'était. Je suis sensible à ça, pis ça me fait donc ben de la peine de voir que des filles brillantes de tout âge vivent ça.

Fait que j'ai envie de m'excuser, mais en même temps, non. Parce qu'une des plus grandes preuves d'amitié, c'est aussi de dire à une personne que vous aimez ce qu'elle n'est pas capable de voir, même si ça fait de la peine et même si la personne peut ne plus vouloir être votre amie après.

Si vous êtes victime d'une forme de violence, je sais que c'est difficile de se l'avouer (disons que de m'avouer le fait que mon père était violent verbalement avec notre famille, ça m'a pris genre 27 ans de vie), fait que je vous comprends. Mais pensez-y, est-ce que c'est normal que la personne qui dit vous aimer vous fasse du mal ? L'étape la plus difficile, c'est de briser le silence. Ensuite, il faut sortir de là. Puis, un jour, après de l'aide et du travail (pour recoller les pots cassés), vous allez vous sentir mieux.

Repoussez juste pas l'aide. Comme on dit, *don't shoot the messenger*, parce qu'il veut souvent juste votre bien. ∎

> *Si votre partenaire vous empêche de faire certaines choses, c'est aussi le symptôme d'une relation pas pantoute égalitaire, avec tendance violente.*

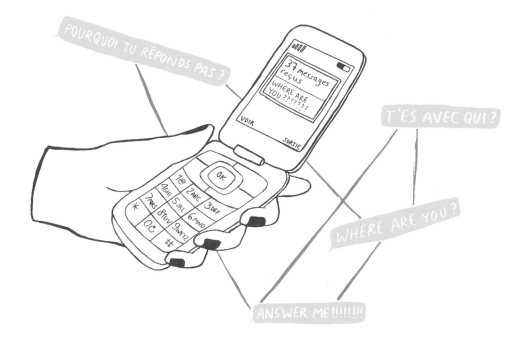

Mon ex juste assez contrôlant

CAROLANE STRATIS

Je travaillais sur la rue Saint-Laurent depuis un an et demi. Il habitait en face, en haut de la boulangerie. Je ne l'avais jamais croisé avant qu'il vienne porter des *flyers* qui faisaient la promotion d'une soirée au magasin.

Il était tellement fâché qu'il me traitait de tous les noms.

Plus tard dans la même journée, je me suis plantée en vélo directement devant lui. Il m'a aidée à me relever, m'a demandé si j'étais OK et mon nom au passage.

C'était encore l'époque des téléphones à *flip*. Quand je suis rentrée chez moi, j'ai vu qu'il demandait qu'on soit amis sur Facebook. *Accept.* Nous avons chatté toute la soirée et, le lendemain, il m'a mise sur la *guest list* du bar où il était DJ. J'y suis allée, super tard parce que moi et mes amies on *prédrinkait* dans le stationnement pas loin. Finalement, il avait fini son set et il était déjà chez lui.

J'ai été le rejoindre et nous avons bu du whisky, même si je n'aimais pas ça d'habitude. Nous avons couché ensemble, c'était plus drôle que romantique. Je ne pensais pas le revoir avant qu'il ne me rappelle. Il était anglophone et je n'avais pas le meilleur anglais du monde. Nous

nous sommes revus plusieurs fois. C'était souvent à la sortie des bars.

Une fois, il paraît qu'il m'avait dit, quand je revenais d'un bar pas loin de chez lui, que nous pourrions être exclusifs, sans sortir ensemble. Je ne me souviens pas d'avoir dit oui, ni de toute cette conversation d'ailleurs. Comment dit-on « fréquentation exclusive » en anglais, déjà ? « *Exclusive frequentation* » ?

Avant de mettre tout ça au clair avec lui, j'ai couché avec d'autres gars. Pas souvent, dans le sens que je ne cherchais pas ça, mais c'est arrivé. Un jour, il m'a demandé si c'était arrivé et j'ai dit la vérité. Rappelons-nous que je ne savais pas que nous étions en relation exclusive.

C'est à ce moment-là que j'ai découvert un autre côté de ce gars-là, que je ne connaissais pas. Il était tellement fâché qu'il me traitait de tous les noms. Du calme, pompon. J'essayais de lui expliquer que je ne

C'est à ce moment-là que j'ai découvert un autre côté de ce gars-là, que je ne connaissais pas.

savais pas que nous étions exclusifs et je lui ai dit que s'il ne voulait plus ça, nous n'avions qu'à sortir ensemble. C'était toute une erreur.

Il s'est mis à virer sur le top. Chaque fois que je sortais, je devais lui rendre des comptes. Je suis avec telle personne, j'arrive à telle heure. Il me textait vraiment tout le temps. Des fois, je lui disais que je dormais chez lui et finalement, il ne m'ouvrait pas la porte. Trop fâché après moi, il me disait ensuite qu'il s'excusait de s'être endormi. Ça a duré pendant des mois.

Une fois, j'étais dans un bar à côté de chez lui et nous avions planifié que nous allions dormir ensemble. Ma petite sœur qui venait d'avoir dix-huit ans ou pas tout à fait encore avait vraiment trop bu, alors je tardais à répondre au gars. Il s'est mis à me traiter de *cunt*, de folle, de pas fiable. Moi, tout ce que je voulais, c'était prendre soin de ma petite sœur. Je suis allée chez lui, nous nous sommes crié après, il m'interdisait de partir, je suis partie quand même. Toutes mes amies le trouvaient con ; moi, je l'aimais quand même. J'avais même l'impression que c'était de ma faute s'il était comme ça.

Un jour, au printemps, je déménageais, alors je l'ai texté pour savoir s'il voulait m'aider. Il m'a répondu qu'il n'avait plus le temps

de me voir parce qu'il suivait quatre cours d'été. Il m'a ensuite annoncé qu'il retournait vivre en Colombie-Britannique. J'étais sur le cul, je venais de me faire laisser par texto. J'ai fait mes boîtes toute seule, je suis déménagée et je ne l'ai jamais revu. Enfin, presque.

Je l'ai revu pour lui dire adieu quand il est retourné vivre dans son coin de pays.

En sortant de cette relation, je me suis dit que je ne voulais plus jamais être avec une personne aussi étouffante et je me suis arrangée pour avoir un cœur de pierre, pour ne plus rien ressentir. Je me suis beaucoup fermée aux autres, surtout aux gars, avec qui je n'avais jamais envie d'entretenir quelque chose. J'avais peur d'étouffer.

Avec le recul, je me trouve chanceuse de ne pas avoir été prise plus longtemps avec ce gars un peu trop contrôlant. J'ai vécu du contrôle et de la violence verbale pendant six mois. Puis, j'ai vécu les conséquences de cette relation pendant presque deux ans. Pfff. Moi qui étais trop contente, au début, d'avoir trouvé quelqu'un avec qui pratiquer mon anglais, *if I can say it.* Crisse. ∎

De Connivence : www.deconnivence.ca/ femmes/test-violence-conjugale

Valérie, 28 ans

Le suicide de ton père

TU AVAIS QUEL ÂGE QUAND TON PÈRE A EU SON DIAGNOSTIC DE MALADIE MENTALE?

Mon père avait toujours eu une certaine fragilité mentale. Il souffrait de claustrophobie et prenait de la médication pour se calmer les nerfs. Sans que ce soit nécessairement tabou, nous n'en parlions pas non plus. Puis, en 2001, lorsque j'avais quinze ans, le frère de mon père est décédé d'un cancer. C'est à ce moment qu'il a basculé. Le diagnostic était tombé: psychose paranoïaque.

TU GARDES QUELS SOUVENIRS DE CETTE PÉRIODE?

Je crois que par un mécanisme de défense, mon cerveau a décidé de n'emmagasiner que très peu de souvenirs de cette période; ce sont surtout des images floues et des vagues d'émotions. Je me rappelle la peine, l'impuissance, le sentiment d'injustice, sa jaquette d'hôpital, ses yeux vides, ses joues creuses. Nous le visitions et il criait «Ne me laissez pas ici!» en pensant que l'univers au complet se jouait de lui. Et je repartais, les entrailles en miettes, me demandant pourquoi la vie s'acharnait contre nous, contre moi, l'adolescente en déroute (au moins un peu) que j'étais.

Je me souviens également des premiers signes de la maladie, alors qu'elle n'en était qu'à ses balbutiements, mais vive comme la naissance d'un torrent: mon père préparant une valise, caché ensuite sous la table en pointant des motocyclistes et en affirmant que les nazis venaient le chercher.

Aussi, j'ai le souvenir du temps qui se dilate, d'un moment interminable et sans fin. J'avais l'impression que rien n'irait jamais mieux. Entre les hospitalisations, les séjours en centre de transition, les retours à la maison sans passer «Go» et les retours à la case départ. Mon père a expérimenté mille et un traitements avant de trouver celui qui lui convenait et de revenir auprès de sa famille pour de bon. Et déjà, un deuil s'enclenchait, parce que l'homme revenu à la maison n'était pas celui que j'avais connu.

EST-CE QUE TU COMPRENAIS SA MALADIE?

Dans une certaine mesure, je crois que je comprenais la maladie de mon père: je me renseignais comme je pouvais et avec mes capacités d'adolescente. Mais, habitant en région, la famille était laissée à elle-même, et nous n'avions que très peu de soutien de l'équipe médicale. Le suivi avec mon père a été quasi inexistant, une fois obtenu le bon dosage de la médication. Nous devions prendre les devants pour avoir des renseignements et des rendez-vous. Puis, j'aurais envie de dire en toute franchise que, malgré les bonnes intentions qu'on peut avoir, vivre avec une personne atteinte d'une maladie mentale, c'est déstabilisant. Pour ma part, même si je savais qu'il était malade, je sentais une frustration en moi et quelquefois j'avais juste le goût de lui dire: «Envoye donc, bouge-toi le derrière un peu!» Je pense que j'ai compris certaines choses bien plus tard, avec le recul.

EST-CE QUE TU ÉTAIS PROCHE DE LUI?

Nous avions une relation houleuse avant la maladie et, étrangement, nos liens se sont solidifiés par la suite. C'est que les rôles s'étaient inversés. Surtout en vieillissant, je me suis sentie de plus en plus un peu comme une mère pour cet homme qui avait besoin que l'on prenne soin de lui. Par contre, je me suis refusée à faire certaines choses qui dépassaient mes limites, comme l'aider à prendre son bain. Je ne pouvais pas, pas par dégoût, mais bien parce que j'avais parfois de la difficulté à laisser aller mon rôle d'enfant par rapport à lui. Il faut comprendre que ce ne fut pas un long fleuve tranquille. Il y avait de l'incompréhension, de l'impatience, mais aussi de la compassion et beaucoup d'amour. Mais il n'y avait pas mieux que les bras de mon père pour me consoler, ses mains de bûcheron pour me flatter le dos et l'odeur de sa peau de cordonnier pour me rassurer. C'était un papa ours réconfortant et sensible dans toute sa fragilité.

À QUEL ÂGE TON PÈRE S'EST SUICIDÉ?

Mon père s'est suicidé en 2008. Il avait soixante-trois ans, j'en avais vingt-trois.

COMMENT TU AS RÉAGI?

Le premier mot qui me vient en tête est: *Hiroshima*. C'est cliché, je ne pensais jamais que ça allait nous arriver à nous, même si après coup je me suis rendu compte que j'avais perçu tous les signes. Alors oui, ça a eu l'effet d'une bombe et ça a chamboulé mon quotidien, mon intérieur, mon cœur. Je n'habitais plus chez mes parents lors de la tragédie et, quand je suis arrivée sur les lieux, je voulais voir mon père une dernière fois. C'est morbide, mais on dirait que ça faisait partie de mon processus de deuil. Je n'ai pas pu voir le corps, et j'ai pleuré, beaucoup pleuré. J'ai voulu savoir comment ça s'était produit, ce qu'il avait fait pendant sa journée, à quoi il avait pensé avant d'appuyer sur la détente. Est-ce qu'il avait mangé le sandwich que ma mère lui avait préparé ? Pourquoi il n'avait pas laissé de mot ? Est-ce qu'il savait que je l'aimais ? Les questions fusaient par milliers. J'ai été en colère contre le monde entier de ne pas avoir de réponses. Je m'en suis voulu. Je lui en ai voulu. Je tirais un trait sur toutes les étapes du deuil, sans le savoir. J'aurais voulu sortir de mon corps, parce que je ne savais plus quoi faire, la douleur le tenaillait trop. Puis j'ai écrit énormément, machinalement, tout, tout le temps. Je suis allée lui donner une dernière lettre avant qu'il se fasse incinérer. Je lui ai serré la main à défaut de le prendre dans mes bras, et j'ai laissé brûler avec lui une partie de moi. Et de ses cendres, je renaissais. Nous avons traversé cette épreuve en famille, tricotés serré, et nous avons trouvé du positif à travers tout ça, malgré tout. Si je suis la personne que je suis aujourd'hui, c'est aussi parce que j'ai vécu cette expérience, et je suis fière de la femme que je suis devenue.

EST-CE QUE TU AS EU DE L'AIDE PSYCHOLOGIQUE ?

Non, aucune. Mais nous avons vraiment affronté ce drame en famille. C'est une chose dont je suis fière, parce que nous n'avons pas transformé cet événement en sujet tabou. Nous en avons parlé beaucoup et nous continuons d'en parler régulièrement.

EST-CE QUE TU AS PEUR DE SOUFFRIR DE MALADIE MENTALE UN JOUR ?

Oui, évidemment, surtout que mon père a eu son diagnostic tardivement. Nous ne sommes jamais à l'abri de la maladie mentale. J'ai peur d'elle, j'ai vu les ravages qu'elle peut faire. En même temps, je me sens mieux outillée pour lui faire face. L'histoire de mon père s'est mal terminée, malheureusement, mais je crois fermement que l'on peut vivre «normalement» (même si je n'aime pas le mot) avec une maladie mentale. Certainement, il faut la bonne combinaison entre une médication adéquate et un suivi efficace ; cependant, ce n'est pas impossible.

TU VAS ÊTRE MAMAN À TON TOUR. EST-CE QUE TU VOIS LES CHOIX ET LES ACTIONS DE TES PARENTS AVEC UN ŒIL NOUVEAU ?

Bien sûr. Simplement en vieillissant, avec le recul, j'ai mieux compris certaines choses. Alors il est évident qu'en devenant mère à mon tour, je vois d'un tout autre œil leurs comportements. Je comprends mieux les silences et les secrets qui servaient à nous épargner le pire, à mon frère et moi. Le désir de protéger sa progéniture apparaît dès le

petit «+» sur le test de grossesse et ne disparaît jamais. Je suis sereine par rapport à leurs actions, même en ce qui concerne celle, fatale, de mon père. Par contre, j'ai déjà le sentiment de ne rien vouloir manquer des étapes de la vie de mon enfant, et je me demande comment il a fait, mon père, pour se refuser ce privilège. Il devait tant souffrir... et malgré l'acceptation, cette souffrance m'est parfois difficile à accepter, encore aujourd'hui. Je crois que dans notre société, il est impensable que nous laissions à eux-mêmes les gens démunis. Le système de santé est malade, et il faudrait réellement que les personnes ayant une maladie mentale bénéficient de meilleurs traitements.

EST-CE QUE TU PENSES QUE TOUTES LES FILLES SONT FOLLES ?

NON. La folie n'a pas de genre. Et c'est quoi, être fou ? Être hors normes ? Sortir de la masse ? Avoir une maladie mentale ? NON. Le terme folie ne me plaît pas. Peut-être pour les œuvres de fiction, mais sûrement pas comme qualificatif pour désigner une personne. NON.

C'est pas parce que tu essaies fort que ça va marcher –

Petite leçon de savoir-quand-arrêter

JOSIANE STRATIS

Mes parents se sont rencontrés à dix-sept ans, sur une piste de danse lors de la Saint-Valentin. En gros, je crois que le reste de l'histoire c'est qu'ils se sont frenchés et plus jamais lâchés.

Comme je n'avais jamais rien vécu d'autre dans ma vie et comme je n'avais jamais eu d'autres modèles, je pensais que la chose la plus cool allait être de rencontrer quelqu'un jeune et de rester avec.

J'ai rencontré une personne dans une drôle de période. Une partie de ma ville me trouvait nouille d'avoir couché avec un gars qui avait une blonde, et me le faisait savoir le plus souvent possible. Le reste de la ville se foutait un peu de moi (*you figure*). J'avais l'impression que je n'aurais jamais de chum dans ma vie. J'étais dans ma deuxième année au collégial et j'allais dans un cégep à large proportion de filles, alors ce n'était pas trop la place pour rencontrer quelqu'un… ET j'ai rencontré un gars dans un party sur un bateau. Il est tranquillement devenu ma fréquentation, puis on a niaisé pendant quelques mois, jusqu'à ce qu'on se décide une date d'anniversaire de fréquentation quelque part en mars.

On sortait ensemble comme deux personnes qui essaient de se comprendre et de comprendre ce qu'elles veulent faire/être tout en essayant d'être un couple normal qui s'aime, malgré le fait qu'on se voyait presque juste la fin de semaine, parce que j'habitais à côté de mon école. L'automne d'après, je suis déménagée définitivement à Montréal.

C'est là que pour la première fois, ça a commencé à arrêter de fonctionner. Montréal, c'était trop loin pour lui (LOL) et il n'aimait pas ça. Moi, j'avais juste aucune autre place où dormir dans ma ville à part chez lui, c'était comme une trop grande responsabilité pour lui, je pense. Il m'a laissée.

Une couple de fois, on a commencé un cycle de fréquentation / coucher avec d'autres personnes pour rendre l'autre jaloux / recommencer à se fréquenter / sortir ensemble / se laisser. En y repensant, c'était un peu ridicule, mais ça a duré presque quatre ans et demi. J'ai eu de la peine et j'ai essayé vraiment fort d'être la personne qu'il voulait que je sois, mais ça ne fonctionnait pas vraiment. J'étais tiraillée entre faire ce que j'aimais et être avec la personne que j'aimais.

Je pense pas que c'était une dynamique de couple saine. Il était timide, il ne parlait jamais, j'avais beau meubler la conversation, c'était jamais assez. Je pense que c'était une personne à l'aise dans la routine, alors que moi, j'avais besoin que ça bouge. Encore aujourd'hui, j'ai besoin de voir des choses nouvelles, de participer à des trucs cool et surtout, de vivre à Montréal.

Il y a même une fois où je voulais passer deux mois en Grèce pour faire l'école d'été de l'UQAM et quand j'ai parlé de mon projet à mon copain, il m'a dit que si je partais, on se laissait. C'est niaiseux, parce qu'il m'a laissée un peu avant Noël en 2008, la même année. Je savais que les Noël dans ma famille n'étaient pas le fun, mais pas au point de me faire crisser là pendant le temps des Fêtes!

La dernière fois qu'on s'est laissés, je me suis promis de ne jamais recommencer notre petit jeu de fréquentation, oui-non-coucher-ensemble. Un côté de moi aurait voulu recréer l'espèce d'histoire parfaite (dans ce temps-là) de mes parents, avoir juste un chum pis s'aimer pour toujours, mais non.

Je crois que dans la vie, c'est important de ne pas lâcher tout simplement parce qu'on se bute à une difficulté, mais c'est aussi important de savoir quand c'est trop et quand s'arrêter. J'ai trouvé ça *rough* de prendre le parti de devenir celle que je voulais être, et non pas celle que celui que j'aimais voulait que je sois. Mais finalement, je pense que c'était la meilleure chose. Ça doit faire plus de cinq ans que je n'ai pas parlé à ce gars-là. Il a l'air heureux dans sa vie, dans une ville où je n'ai jamais *fitté*.

Ah, et puis mes ont fini par divorcer en 2013, alors leur exemple n'était peut-être pas celui à suivre, *after all*. ∎

Quand la rupture aide
à guérir

JOSIANE STRATIS

Je n'ai jamais été du genre à me chicaner vraiment fort avec mes chums. Bon, je n'en ai pas eu 1000, des chums, mais j'ai pas connu beaucoup d'engueulades de couple non plus. Sauf avec un gars.

Mon chum m'avait donc laissée un peu avant Noël (voir page 93) et je me sentais un peu comme un démon. J'ai couché avec ce gars-là, puis tranquillement, on a commencé à se voir chaque vendredi, comme il habitait en haut du bar où je travaillais.

Rewind. Quelques années avant, Carolane et moi, on avait fêté nos dix-huit ans dans un bar où on s'était obstinées, pendant plusieurs mois, à montrer la même fausse carte au doorman. À nos dix-huit ans, on a enfin pu montrer nos vraies cartes: SHOOTER! Cette soirée-là, nous nous étions donné comme objectif de boire chacune dix-huit consommations, ce qu'on a fait. Évidemment, ça a viré en couille et on a montré nos seins au gérant du bar, frenché une fille et couché chacune avec un gars après avoir fait un tour dans un spa. Pas la soirée la plus vargeuse, mettons, surtout qu'on a appris le lendemain que les deux gars avaient des blondes. Le gars que j'allais fréquenter quelques années plus tard était un de ces gars-là. Pas besoin de dire que ça a jasé en ville.

Fast forward. Je travaillais donc au bar «alternatif» de mon bled le vendredi et j'allais dormir chez le gars qui habitait en haut: c'était ben d'adon, pour plusieurs raisons. De fil en aiguille, nous avons commencé à nous voir de plus en plus, le jeudi, et d'autres soirs dans la semaine, et la boisson restait une de nos activités préférées.

En fait, sortir dans les bars était vraiment ce que je préférais, et toutes les occasions étaient bonnes pour le faire. Je restais chez mes parents, car je me concentrais sur ma fin de bac, mais j'aimais bien sortir et j'avais un endroit pour dormir ces soirs-là.

Après quelques crises de jalousie et des coups bas des deux côtés, nous avons fait le constat qu'on devait sortir ensemble officiellement, et ce, même si ce n'était pas pour les bonnes raisons. C'est facile de s'attacher à un compagnon de brosse quand ça va mal, et chacun dans nos vies, on vivait des affaires pas cool et on avait des *issues*.

Bref, pendant l'été, nous avons commencé à nous chicaner vraiment tout le temps, principalement parce que je sortais plus souvent à Montréal, et que j'avais vraiment un comportement méchant envers lui. En même temps, je me sentais prise en laisse. Je pense que je savais qu'on ne s'aimait pas, qu'on n'avait pas les mêmes aspirations, et surtout, qu'on était jaloux.

Tout le monde semblait l'apprécier, parce qu'il était le fun et drôle, mais la vérité, c'est qu'il ne me convenait pas. J'avais l'impression que je n'avais pas le droit de le laisser, sinon la ville entière allait encore me remettre cette histoire de notre fête de dix-huit ans sur le nez. On allait dire que j'étais une méchante conne, que j'avais brisé un couple pour rien… Je ne voyais pas la porte de sortie, je travaillais encore au bar et ça allait être mon deuxième *breakup* de l'année, *what a fail*.

Il a dû déménager de son appart en haut du bar quelque part en septembre. Je venais de rencontrer un beau gars, et j'ai eu une bulle au cerveau : je me suis dit que j'allais juste partir de cet emploi-là, de cette ville-là, à tout jamais, et que j'allais enfin pouvoir le quitter (lui, les rumeurs, toutte). Je me suis fait engager dans un bar à Montréal, et j'ai laissé ma job, le gars et les chicanes.

Je pense que j'ai mis beaucoup de pression sur les épaules de ce gars-là. Je voulais qu'il me sauve, qu'il comprenne ma peine, qu'il me soutienne, qu'il me répare. Lui, je crois qu'il voulait me garder dans sa vie pour se prouver qu'au final, ce qui s'était passé entre nous le soir de mes dix-huit ans n'était pas une erreur.

Je ne sais pas si vous vous êtes déjà blessés dans un repli de peau, disons au coude ou au genou. Ça m'est arrivé une fois. Chaque fois que je pliais le coude, les plaies se collaient ensemble et ça chauffait encore plus. Quand je laissais mon bras le long de mon corps, par contre, je ne sentais absolument rien. Je pense que c'est la parfaite analogie pour ce genre de relation. Quand deux personnes qui ont trop mal se frottent, ça chauffe et ça guérit moins vite.

Je suis contente de savoir qu'on a réussi à se guérir chacun de notre côté. ∎

Je pense que j'ai mis beaucoup de pression sur les épaules de ce gars-là. Je voulais qu'il me sauve, qu'il comprenne ma peine, qu'il me soutienne, qu'il me répare.

Pourquoi j'ai décidé d'arrêter de parler à mes parents

JOSIANE STRATIS

J'ai arrêté de parler à mes deux parents. Quand je l'ai fait, ça faisait longtemps que j'avais une relation conflictuelle avec eux. Depuis que je suis toute petite, je ne m'entends pas avec mon père, qui est plutôt contrôlant et qui a des comportements violents.

Ça m'a pris plus de temps pour me rendre compte que ma relation avec ma mère me rendait malheureuse. Je pense que j'éprouvais beaucoup de rage associée au fait que j'aurais aimé qu'elle divorce plus tôt avec mon père.

J'ai d'abord coupé les ponts avec mon père, sous un prétexte un peu futile : j'avais besoin d'aide et d'un peu d'argent, il me les a refusés. Au début, quand j'en parlais, je me trouvais un peu stupide et matérialiste d'avoir coupé les ponts avec lui pour une histoire aussi futile, #Bratz. Le cerveau a tendance à effacer rapidement des années de malheur.

J'ai arrêté de parler à ma mère un an plus tard. À ce moment-là, je sentais que si je continuais d'entretenir une relation avec elle, j'allais sombrer (voir page 21).

C'est difficile d'arrêter de parler à ses parents, parce que t'sais, on leur doit kind of la vie. C'est aussi difficile de faire accepter ce genre de décision quand on a l'air d'avoir été gâté sur le plan matériel. Les gens riches ne sont pas automatiquement heureux, ça m'a pris 28 ans pour m'en rendre compte.

Ce que je sais par contre, c'est que cette décision m'a vraiment permis de me détacher de leurs malheurs. J'ai une tendance à vouloir sauver la planète, et mes parents en premier. Arrêter de leur parler m'a permis de me concentrer sur mon bonheur, pour une fois.

Même si aux yeux de plusieurs, j'ai lâché mes parents quand ils avaient besoin d'aide, je sais maintenant que ça a été la meilleure chose pour moi. Ça me fait encore de la peine, surtout par nostalgie, de penser à des occasions où je ne les vois pas : la fête de mon garçon, Noël, Pâques, la journée des cornichons et des sauces tomate...

Cela dit, j'ai appris, avec cette séparation, à être complètement autonome. Je me suis libérée de cette impression de vivre en laisse, que j'avais depuis que j'étais partie de leur maison. Je n'ai plus besoin de leur approbation et de leur aide pour faire tout et n'importe quoi. C'est difficile de l'avouer, c'est difficile d'en parler et de le comprendre. C'est difficile à vivre avec ma petite sœur et mon petit frère. Ce n'est pas le genre de chose que je peux dire sans créer de malaise autour de moi.

> Ce que je sais par contre, c'est que cette décision m'a vraiment permis de me détacher de leurs malheurs.

Au fond, ça ne regarde que moi. Puis, j'ai la chance inouïe d'avoir une sœur jumelle qui me comprend et qui m'appuie dans mes choix (et qui a fait le même choix, aussi). Quand mon garçon me pose la question « elle est où ta maman, maman ? », je lui dis qu'elle est dans sa maison. C'est assez pour ses trois ans. Un jour, je prendrai le temps de trouver les mots pour lui expliquer mon choix.

Peut-être qu'un jour, mes parents changeront certains de leurs comportements et que j'ouvrirai la porte. Je garde espoir. Ils ont été capables de faire un paquet d'humains (quatre, t'sais) qui ont quand même une tête sur les épaules. Je suis certaine qu'avec un peu de volonté, ils seront capables de changer. Si ce n'est pas le cas, je sais aussi que je suis capable d'être vraiment heureuse sans eux. ∎

« je me suis libérée de cette
impression de vivre en laisse. »

De l'importance d'en aimer au moins une

CAROLANE STRATIS

Ça peut être dur de commencer à s'aimer, pour vrai. Genre, tout le monde parle de comment nous devrions aimer notre corps, nous sentir bien dans notre peau et envoyer chier les diktats de la beauté, etc. Mettons que c'est plus facile à dire qu'à faire.

La vérité, c'est que même la plus cool des gourous de l'estime de soi peut se sentir comme de la marde en se levant un mercredi matin. La vérité, c'est aussi que d'acquérir de la confiance en soi, c'est un travail de longue haleine qui demande de lâcher prise. Je pourrais bien vous faire un cours 101 en vous donnant 10 000 trucs, sauf que si j'ai appris quelque chose dans la vie (grâce à Internet), c'est que personne n'est fait pareil. Donc, si un truc fonctionne pour moi, ça ne fonctionnera pas nécessairement pour vous.

Le premier et seul truc que je vais vous donner, c'est d'aimer au moins une partie de votre corps, parce que disons-le, c'est un méchant beau début. C'est déjà ça et ça vous permet de prendre conscience du fait que vous avez du stock pour vous sentir bien... une partie du corps à la fois !

J'ai demandé à nos collaboratrices de nous dire quelle était la partie préférée de leur corps et pourquoi, question de vous donner des idées. J'espère que ça va vous aider, parce que pour citer l'une de mes collaboratrices : « C'est si cool, se complimenter soi-même ! »

Yeux

« Mes yeux, parce que c'est une partie de mon corps qui ne changera jamais et parce qu'en apprenant à vraiment les aimer, j'apprends à faire confiance à ma face et à me sentir belle à peu près tout le temps. »

« Mes yeux et leur hétérochromie (un œil bleu, un œil vert). J'adore ce défaut de fabrication, ha ! »

« Mes yeux ! Parce qu'ils parlent beaucoup à ma place... tout chez moi passe par mes yeux. Aussi parce qu'ils changent de couleur selon la température. Vert quand il pleut, gris-vert quand il neige, bleu-vert quand il fait beau. J'ai comme un thermomètre dans la face, c'est quand même cool ! »

« Mes yeux, ha ! Parce qu'ils sont un mélange de ceux de mes parents. Ils sont grands comme ceux de mon père, avec un « fond » bleu, mais ils sont aussi expressifs comme ceux de ma mère, et ont un rond jaune autour de la pupille qui leur donne un caractère et une couleur inusités. »

Cheveux

« Mes cheveux. Parce qu'en tant que femme noire, à un moment donné, ce fut un moyen de m'affirmer, de revendiquer mes origines et de faire taire tous ceux qui disaient que les cheveux crépus, ce n'était pas "professionnel". Et j'aime mes cheveux parce qu'ils m'ont permis de me tourner vers des produits naturels (bio) et des produits qu'on trouve principalement sur mon continent. »

« Mes cheveux. J'en prends grand soin, ils sont fournis, lourds et lustrés. Pour moi, c'est comme une parure. Ils me donnent vraiment un sentiment de joie quand je n'ai rien à faire dedans et qu'ils ont un beau volume et une belle *curve*. Je me sens pleine de confiance et sexy. »

Lèvres, bouche, dents

« J'aime mes dents parce qu'elles apportent beaucoup de lumière dans mon visage. Dès que je montre mes dents, c'est parce que je souris, et ça affecte tout mon visage (ça plisse mes yeux pis toutte), pis j'aime ça. J'aime mes dents parce qu'elles sont vraiment droites. »

« Mes lèvres ! C'est con, mais j'ai une bouche en cœur et des lèvres assez pulpeuses, ce qui fait que j'ai le *look* parfait pour n'importe quel rouge à lèvres. »

« Ma bouche : d'abord, parce que j'ai une dentition presque parfaite sans avoir eu de broches (la chance !), et ensuite, parce que le galbe de mes lèvres est idéal pour recevoir un rouge à lèvres. Ni trop en cœur, ni trop épais (à mon goût à moi). Et j'adore frencher. »

Le visage

« Ma face : c'est la seule partie que je trouve belle dans son ensemble. J'aime mes yeux bruns et mes longs cils, j'ai travaillé fort pour la forme de mes sourcils, mes lèvres sont rouges naturellement, mon nez n'est pas pire et je suis assez photogénique, ce que j'aime aussi. :) C'est en bas du menton que ça se gâche. »

« Mon visage, plus précisément mes pommettes et mes yeux. J'ai les pommettes hautes, avec un creux naturel au niveau de la joue (ben *nice* à maquiller), et mes yeux en amande donnent une touche de raffinement à mon visage. »

« Ma face, parce que je la trouve sympathique en général, genre j'ai vraiment jamais l'air fâchée. (Malgré que je ne me regarde pas dans le miroir lorsque je suis fâchée, mais t'sais.) »

« Mon visage en général. J'ai une belle peau et je me le fais souvent dire.

Je me trouve jolie même quand je ne suis pas maquillée. J'ai de longs cils naturels et de belles dents. »

Pis le reste du corps

« Mes seins. J'ai eu une réduction mammaire il y a neuf ans et c'est la meilleure décision que j'aurais pu prendre ; ils sont moins lourds, moins imposants, je les trouve beaux, je trouve qu'ils sont vraiment proportionnels au reste de mon corps. »

« J'adore mon cou. Je le trouve élégant pis juste assez long. »

« Mes seins. Je les aime vraiment beaucoup parce qu'ils sont inégaux. Ils font l'objet d'une fixation chez moi, je les trouve délicats et imposants à la fois. »

« J'aime particulièrement mes courbes, genre la forme de mon corps. »

« Ma taille. J'adore être grande (OK ! Cinq pieds huit, ce n'est pas siiii grand !), je trouve que ma grandeur me donne un petit quelque chose de plus et j'adore l'accentuer en portant des talons hauts. »

« Mes cuisses, parce que ce sont les plus gros muscles du corps pis les miennes ont grossi et durci et je sais que c'est à cause de tous les efforts physiques que j'ai faits, je suis fière pis elles me permettent de me déplacer partout en vélo et je trouve ça *awesome.* »

« La partie entre mon cou et mes seins (genre mes épaules et mes clavicules), parce que j'aime la façon dont mes clavicules sont découpées. Bref, j'ai un peu de difficulté à l'expliquer ! »

« J'aime ma peau en général. On dirait toujours que je sors d'un bain de crème tellement elle est douce. Sur mon visage, je ne mets jamais de crème ou de fond de teint : ma peau, elle est douce et unie naturellement. »

Et perso, si vous me le demandez, j'adore aussi ma peau, qui est la plus douce du monde. Pis ça tombe bien, j'en ai sur tout le corps ! ■

La vérité, c'est aussi que d'acquérir de la confiance en soi, c'est un travail de longue haleine qui demande de lâcher prise.

Est-ce que je suis trop folle
pour être mère ?

CAROLANE STRATIS

Enceinte de mon deuxième, j'ai participé à une table ronde qui parlait, entre autres, des aléas de la vie. Je suis assez *open book*, alors je n'ai pas eu de misère à m'ouvrir sur ma dépression, ma tentative de suicide, ma prise d'antidépresseurs et les autres choses que j'ai vécues de poches.

Je pensais, et je pense encore, que c'est l'une des meilleures façons pour dire à quelqu'un qui a besoin d'aide que c'est possible d'aller mieux et de ne pas avoir honte de tout ça.

Ce qui a suivi m'est apparu irréel, tant je n'avais pas été en contact avec ce genre de réaction souvent. Une fille s'est mise à dire les pires choses sur mon cas sur le mur Facebook de l'activité. Du genre que je n'aurais jamais dû avoir d'enfant, que j'étais la pire des irresponsables et que j'allais avoir des enfants à problèmes. Une chance que j'avais ma *#TPLArmy* pour m'aider un peu à gérer cette personne, qui avait toutes les caractéristiques d'un troll.

La vérité, c'est que je me suis souvent demandé si j'étais trop folle pour avoir des enfants. Dolores s'est pointée dans mon ventre comme une belle surprise six mois après ma tentative de suicide. J'allais mieux, j'avais recommencé l'école, je travaillais davantage sur les blogues, etc. Dès que j'ai vu le test de grossesse positif, j'ai commencé à stresser, à me demander si j'avais les capacités physiques et mentales de devenir mère. J'en ai longuement parlé avec ma psychologue. J'ai été suivie par une psychiatre aussi.

J'ai été chanceuse de prendre des médicaments qui n'avaient pas tant d'effets secondaires sur les fœtus. Pour mes deux grossesses, j'ai eu un suivi assez serré et j'étais mise au courant des risques sur mes (futurs) enfants. Je m'en suis voulu quand j'ai appris que Dolores avait un souffle au cœur, même si le médecin m'a spécifié qu'un enfant sur quatre en avait un et que ce n'était pas la faute de ma prise de médicaments. Dans mon cas, les risques associés à la prise d'antidépresseurs étaient plus faibles que les risques que nous encourions, mes enfants et moi, si je ne les prenais pas.

Depuis que je suis mère, je fais vraiment attention pour essayer de mettre toutes les chances de mon côté pour aller mieux. Je ne consomme pas d'alcool, ce qui évite l'incidence sur mes médicaments. Parlant de médocs, je m'efforce de les prendre chaque jour. Je vois ma psychologue au besoin, quitte à ce que ça fasse un trou dans mon budget. J'essaie d'écouter mon corps, quand la fatigue est insurmontable. Je fais attention, presque tout le temps.

Ça ne m'a pas empêchée de refaire un épisode dépressif l'été suivant le premier anniversaire de ma fille. Cet épisode a duré plus longtemps que le premier, car je n'ai pas pu prendre le temps d'aller mieux. Une fois que me suis sentie mieux, je suis retombée enceinte par surprise, pendant l'un des mois le plus *challengeant* de ma vie. J'ai gardé le focus du mieux que j'ai pu.

Quand je regarde les sacrifices que je fais pour réduire les impacts de ma maladie sur mes enfants, je me dis que finalement, je ne suis pas plus folle qu'une autre mère (LOL). C'est sûr que j'ai des mauvaises journées, qu'il y a des matins où j'aimerais ne plus jamais me lever. Ces enfants qui m'empêchent de dormir, qui poussent ma patience à sa limite, sont aussi la source principale de ma motivation à aller mieux. ∎

3

———

TON PETIT LOOK II
Les filles sont-elles folles ?

Ventre

« Les femmes d'aujourd'hui sont en train de détrôner
le mythe de la féminité ; elles commencent à affirmer
concrètement leur indépendance ; mais ce n'est pas
sans peine qu'elles réussissent à vivre intégralement leur
condition d'être humain. »

SIMONE DE BEAUVOIR — *Le Deuxième Sexe*

Une histoire de poutine
et de relations confrontantes
avec la nourriture

JOSIANE STRATIS

C'est vraiment drôle comment la poutine pis moi, on a vécu des drôles d'histoires. Ma première fois, c'était à dix-huit ans. J'attendais mon *lift* à La Belle Province coin Saint-Laurent et Sainte-Catherine, à Montréal. Depuis, c'est l'amour.

Il y a la fois où on m'a dit que c'était normal que je sois grosse trois mois après la naissance de mon garçon parce que je mangeais de la poutine. Ça, ce n'était pas drôle, mais j'ai réagi en publiant une photo de poutine sur les réseaux sociaux et tout le monde me trouvait bien comique.

> *Neuf femmes sur dix n'aiment pas leur corps. C'est énorme.*

Il y a la fois où on a perdu une collaboratrice parce qu'elle a publié une image de gourde avec «Je cours parce que j'aime la poutine» et que j'ai trouvé ça irresponsable comme message. Suivant cette discussion (pendant laquelle la personne m'a finalement bloquée et a *deleté* tout le monde de *Ton Petit Look* de ses amis Facebook), j'ai écrit un texte sur le sujet en prenant la peine de parler à un de mes nutritionnistes préférés, Bernard Lavallée.

Je crois que j'ai – sans m'en rendre nécessairement compte et sans que ce soit le but premier de mon article – confronté beaucoup de personnes par rapport à leur relation avec la nourriture. Je pense qu'on doit se rendre compte collectivement de comment le discours ambiant est insidieux et *fucke* notre rapport à la nourriture.

Malheureusement, personne n'est parfait et personne n'est imperméable au discours qui veut que manger fait grossir et qu'être mince rend heureux. Personne. Et quand on décide de se battre contre ça, je vous jure que c'est vraiment difficile. David contre Goliath *style*. Parce que les jugements sur l'apparence sont banalisés et parce qu'il y a beaucoup de désinformation sur la nutrition.

Quand la mauvaise relation avec la nourriture vient des restrictions des parents

Vous le savez sûrement, sinon ben... surprise : je suis maman. L'une des affaires que je ne veux pas transmettre à mon enfant, c'est une mauvaise relation avec la nourriture. Mon père a mis pas mal de pression sur mon poids (alors que j'étais maigre comme un pou), en me donnant toujours l'impression que manger de la malbouffe allait me faire engraisser et me rendre malheureuse. Pourtant, c'est lorsque je suis partie de la maison et que j'ai atteint mes 145-150 livres que j'ai appris à être le plus heureuse. Je mange ce que je veux, quand je veux, et je ne me sens pas mal, parce que j'aime vraiment mon corps.

En parlant avec beaucoup des collaboratrices de TPL, je me suis rendu compte que c'était vraiment difficile de se faire dire des trucs à propos de son corps par ses parents. Pas que je ne le savais pas, mais les commentaires des collaboratrices étaient très partagés. Grandir avec un discours qui rend certains aliments malsains et qui force un enfant ou une ado à penser que son corps n'est pas OK, ça te *fucke* une relation avec la nourriture. C'est comme si vous étiez programmée à ne pas vous aimer dès que vous étiez assez vieille pour comprendre que vous serez jamais assez mince ou correcte pour le reste du monde. Ce n'est vraiment pas drôle.

UNE HISTOIRE DE POUTINE.

« vas-tu vraiment manger ça ? »

« oui. »

(FIN)

Quand c'est les autres qui *fuckent* votre relation avec la nourriture

Avec les médias sociaux vient beaucoup de désinformation. Surtout, il y a beaucoup de personnes qui se placent en position d'experts pour vendre telle ou telle affaire. C'est le cas de pas mal de compagnies de *fitness* qui réussissent à vivre grâce à des détox ou à d'autres affaires pour faire chier (littéralement). Ça n'aide pas non plus à prendre de la distance par rapport au discours ambiant.

C'est très difficile, par les temps qui courent, de se tenir loin des comportements à risque et des discours *shamants* sur la nourriture. Pas mal de gens pensent qu'à cause du fait qu'ils ont eu une formation de 15 minutes pour vendre des suppléments alimentaires, ils deviennent des experts en nutrition.

Comprendre les principes de la nutrition, ça ne se fait pas en lisant des *posts* sur Instagram. C'est un domaine d'étude qui est complexe. Même encore, ce n'est pas magique puisqu'il y a des nutritionnistes qui travaillent avec des compagnies pour promouvoir leurs produits. Ce n'est pas simple et il faut rester critique.

Ce qui est difficile aussi, c'est de vulgariser des notions sans faire de raccourcis douteux. Ce serait cool que tout le monde aime les textes-fleuves, mais malheureusement, il y a une grosse gang sur Internet qui lit juste en diagonale. Ce n'est pas tout le monde qui vulgarise bien les concepts et ça n'aide pas non plus à avoir des réponses claires. Surtout que tout n'est pas noir ou blanc dans la vie et qu'il y a pas mal plus que 50 nuances de gris.

« On peut pu rien dire » ou « c'est ben juste une *joke* »

Je comprends que c'est plate, se faire reprendre sur des affaires. Je suis la première à être du genre à me dire « bon, bon, bon » quand je me sens limitée dans mon choix de mots. Sauf que, plus ça va, plus je me rends compte de la force du discours, et surtout de l'impact que ça peut avoir. Bref, je me rends compte que ce qui sort de ma bouche (aussi bien que de celle des autres) peut faire du mal.

Je sais qu'une blague de poutine, ça va n'amener personne à l'hôpital pour un trouble de comportement alimentaire comme l'anorexie, mais ça se peut qu'à la longue, ça joue dans la tête d'une personne, assez pour qu'elle pense qu'elle doit faire de l'exercice chaque fois qu'elle se claque une poutine, pour compenser, alors que ça marche pas vraiment comme ça.

La statistique qu'on répète partout, c'est que neuf femmes sur dix n'aiment pas leur corps. C'est énorme. Pis ce n'est pas en applaudissant les pubs d'estime de soi qu'on va vraiment changer les choses, c'est en s'attaquant directement au discours ambiant et à la désinformation. Parce que plus une personne comprend comment son corps fonctionne, plus il est probable qu'elle en prenne soin (et ça inclut aussi la santé mentale).

La glamourisation des restrictions alimentaires

Certains comportements liés aux restrictions alimentaires sont vraiment à la mode depuis quelques années. Que ce soit le « sans gluten » par des non-cœliaques, ou le fait de manger *plant-based*, végane ou autrement, il peut y avoir, dans ces comportements restrictifs, une forme d'hyper-contrôle qui peut amener doucement certaines personnes vers le chemin de l'orthorexie. L'obsession du bien-manger prend alors toute la place.

Ce genre de comportement est souvent fortement partagé sur les réseaux sociaux. Et les *likes* ne font qu'encourager ces comportements à risque.

Et vous ?

Avez-vous une saine relation avec la bouffe ? Mangez-vous sans jamais ressentir une once de culpabilité ? Essayez de vous confronter vous-même, pour voir.

Ce questionnement va juste faire de vous des meilleures personnes à la fin, pas des personnes parfaites (parce que non, je ne pense pas que j'ai une relation parfaite avec la nourriture). Il faut aussi en parler : plus on en parle, plus les femmes pourront déconstruire leurs comportements alimentaires à risque. Pis ça, c'est vraiment important. Tout le monde mérite d'aimer son corps et d'éviter de lui faire mal (même si c'est en pensant se faire du bien). ∎

L'alimentation pleine conscience :
et si on repensait notre façon de manger ?

JOSIANE STRATIS

Les troubles alimentaires sont souvent reliés à un paquet d'autres affaires qu'il faut régler pour être capable d'aller mieux.

J'ai rencontré Josée Guérin, nutritionniste et psychothérapeute, à la clinique psychoalimentaire qu'elle a ouverte en 2005. Je voulais qu'elle me parle de la technique qu'elle pratique à sa clinique et des facteurs aggravants dans le développement des troubles alimentaires. Elle m'a beaucoup aidée à comprendre les différents facteurs qui contribuent à ce que quelqu'un souffre d'un trouble alimentaire (et je vous en parle à la page 115).

Josée Guérin a publié *Miroir, miroir, tu me fais souffrir*, aux éditions Québec-Livres, en 2013. Le but de cet ouvrage est d'aider à changer la relation des gens avec la nourriture. Je ne vous donnerai pas tous les trucs, parce que j'aimerais mieux que vous achetiez le livre, mais je veux quand même vous parler de deux pistes qui m'ont franchement bien allumée quand j'ai discuté avec l'auteure.

Parmi les pistes de guérison dont parle Josée dans son livre, il y a la psychothérapie. En gros, c'est parce que les troubles alimentaires sont souvent reliés à un paquet d'autres affaires qu'il faut régler pour être capable d'aller mieux. Ce qui n'est franchement pas facile, mais qui est faisable.

Autre piste : s'intéresser à la relation que l'on a avec la nourriture. Le plus cool, c'est que tout le monde peut le faire, même ceux qui ne présentent pas de trouble alimentaire. Ça peut servir à tout le monde de se dire : «Ah ben tiens, je vais essayer de comprendre c'est quoi ma relation : est-ce que j'ai du plaisir en mangeant ? Est-ce que je me sens parfois coupable après un repas ?»

La pleine conscience alimentaire

Josée Guérin, pour traiter ses patients, enseigne la pleine conscience alimentaire. De la même manière que la méditation réduit l'incidence du stress sur leur quotidien, l'alimentation pleine conscience propose de réapprendre à se faire confiance et à faire confiance à ses sens pour mieux manger (dans le sens de pour soi, et pas en fonction de l'opinion publique).

En gros, c'est d'être capable de trouver par vous-même ce que vous avez envie de manger, et de le faire pour le plaisir que ça procure, pas pour le faible apport en calories ou *whatever*. Fait que vous pouvez souper deux soirs de suite à la poutine si vous êtes en fin de session et manger de la salade le jour d'après, parce que c'est ça que votre corps vous demande. C'est aussi d'apprendre à reconnaître ses envies et de pas les *fighter*.

Vous allez me dire que c'est facile, t'sais, mais en fait, pas vraiment. Entre les messages comme «finis ton assiette, sinon tu n'as pas de dessert» et d'autres comme «je cours parce que j'aime manger de la poutine», on a droit à toute une marée de discours... qui se contredisent souvent et n'ont rien à voir avec l'expérience des sens.

Comme le spectre des comportements alimentaires à risque et des troubles alimentaires est assez vaste, ça vaut la peine de creuser un peu dans ce type de moyens afin de mieux comprendre comment améliorer notre relation avec la nourriture, sans *bullshit* et surtout de façon saine. ■

Ah ben tiens, je vais essayer de comprendre c'est quoi ma relation : est-ce que j'ai du plaisir en mangeant ? Est-ce que je me sens parfois coupable après un repas ?

Alexandra, 23 ans

Ton petit trouble de conduite alimentaire

QUEL ÂGE AVAIS-TU QUAND TU AS EU TON DIAGNOSTIC ?

Dix-huit ans.

QUEL ÉLÉMENT DÉCLENCHEUR T'A FAIT CHERCHER DE L'AIDE ?

Je sentais mon corps me lâcher, j'ai eu vraiment peur et j'ai commencé à avoir des idées noires. J'ai eu peur pour moi-même et en rentrant un soir très tard, j'ai réveillé mon père parce que j'étais en sanglots dans le salon. Il a attendu que ça sorte, ça a pris un bon 30 minutes avant que je sois capable de le dire, mais au final, ça a été vraiment libérateur de me confier à lui.

QU'EST-CE QUE ÇA T'A FAIT DE COMPRENDRE QUE TU SOUFFRAIS D'UNE MALADIE MENTALE ?

Même si c'est moi qui ai fait mon *coming out*, j'ai vraiment minimisé mes comportements et j'ai ignoré l'aspect « maladie mentale ». Ça m'a pris du temps à l'accepter. Pendant longtemps, je considérais juste mes comportements comme étant malsains, mais pas comme les symptômes d'une maladie.

QUELLE A ÉTÉ LA RÉACTION DE TON ENTOURAGE ?

Il y a eu beaucoup de tristesse et de culpabilité chez mes parents. Je suis très proche d'eux, et ils ont vraiment pris mes souffrances sur leurs épaules, surtout mon père. Dans mon cercle d'amis, ça a été reçu avec un peu de surprise chez certains, mais la plupart étaient soulagés que j'aie décidé de me traiter. En général, mon entourage se doutait que quelque chose se passait, alors ça n'a pas vraiment été un gros choc pour personne. J'ai reçu beaucoup de soutien.

COMMENT AS-TU VÉCU TA MALADIE MENTALE ?

Assez difficilement. Dans le cas d'un trouble alimentaire, c'est très insidieux parce que la maladie est reliée à un besoin vital : manger. J'ai été moins malheureuse pendant l'époque « anorexie » de ma maladie que pendant l'époque « boulimie ». La boulimie entraîne beaucoup de culpabilité, de honte, de tristesse... Je me cachais pour faire mes crises, toute ma vie était tournée autour de mon ingestion (ou non) d'aliments. Je me sentais imposteur face à mon entourage, parce que j'ai menti longtemps en disant que j'allais mieux, alors que c'était tout le contraire. Je me sentais très seule et j'étais ma pire ennemie. Aujourd'hui, alors que ça va vraiment mieux, j'ai toujours au moins une pensée par jour concernant ma silhouette, ce que je mange, etc. Je n'ai pas encore réussi à me détacher entièrement de l'irrationalité de mes pensées, mais disons que je suis plus outillée pour gérer mon mental.

QUEL A ÉTÉ TON TRAITEMENT ?

Beaucoup de thérapies. J'ai eu une prescription pour des antidépresseurs, mais je ne les ai jamais pris. Ça me faisait peur, et je crois que ça entrait dans la partie « déni » de ma maladie. Au début, j'ai été suivie dans une clinique privée qui se spécialise en troubles alimentaires, à BACA, en suivi externe. J'ai fait des bons progrès, alors j'ai lâché la thérapie. J'ai essayé un autre thérapeute, ça a moins bien marché, alors j'ai arrêté la thérapie pendant plus d'un an. En 2015, je l'ai recommencée, cette fois-ci avec une psychologue qui travaille beaucoup à l'Hôpital Douglas (qui se spécialise entre autres dans les troubles de l'alimentation) et avec l'approche cognitive-comportementale. Elle m'a aidée à construire la boîte à outils que je possède aujourd'hui pour gérer ma maladie mentale.

PARLE-MOI DE TA MALADIE DANS UNE JOURNÉE ORDINAIRE.

Avant d'aller un peu mieux, ma maladie prenait presque toute la place dans une journée ordinaire. Dans mes cours ou au travail, je pensais aux crises que j'allais faire en rentrant, à ce que j'allais manger. Je perdais vraiment beaucoup de temps dans une journée à faire l'aller-retour entre les toilettes et mon lit... Maintenant que les comportements alimentaires malsains sont plus sous contrôle, je dirais que la maladie prend beaucoup moins de place, mais il reste que je vais quand même avoir des pensées sur ce que je mange, le sport que j'ai pratiqué. Mon image corporelle va encore avoir un gros impact sur mon moral. Par exemple, si, par une journée ordinaire, je me lève et je n'aime pas le reflet de ma silhouette dans le miroir, mon moral va être bas et je risque de beaucoup plus penser à ma consommation alimentaire. Ça arrive moins souvent, mais ça arrive encore.

QUELLE EST LA CHOSE LA PLUS POSITIVE QUE TA MALADIE T'A APPORTÉE?

Le travail sur moi-même que j'ai été, en quelque sorte, forcée de faire. Des fois, je me dis: wow, j'ai vingt-trois ans et j'ai déjà travaillé assez profondément sur moi-même, mes traumatismes, mes blessures. Je me sens mieux outillée pour commencer ma vie d'adulte.

LA PLUS NÉGATIVE?

Les dettes. J'ai dépensé tellement, tellement d'argent sur mes crises alimentaires... C'est triste de dire que je suis endettée parce que j'ai été boulimique.

EST-CE QUE TU PARLES OUVERTEMENT DE TA MALADIE?

Oui. Je crois fortement que de parler ouvertement des maladies mentales permet de briser les tabous les entourant. Quand je parle de mon vécu avec des nouvelles connaissances, la plupart sont surprises, parce que ça ne «paraît» pas tant quand on me regarde. On dirait que, quand j'en parle, les gens «humanisent» plus la maladie. Ça n'est pas juste «la folle au secondaire qui mangeait pas» ou «la grosse qui s'empiffre», ça devient une personne qu'ils connaissent, de format standard, avec une vie standard qui a vécu quelque chose de pas standard du tout et qui en a beaucoup souffert. La maladie mentale vient sous plusieurs formes et se vit souvent dans le secret. Je trouve que d'en parler, ça brise les préjugés possibles et ça permet d'avoir des beaux dialogues pour conscientiser les gens.

COMMENT ÇA VA AUJOURD'HUI?

Je crois que je peux dire que ça va, sans trop mentir, ha! ha! J'ai peur, des fois, de rechuter... Mais quand j'ai plus de misère, je me concentre sur le positif, je parle à mes proches, j'utilise mes outils et j'essaie de rationaliser le plus possible mes pensées. C'est sûr qu'avec une maladie mentale, le quotidien peut être des fois complètement chamboulé pour aucune raison apparente. Alors,

tout semble aller mal, mais quand ça arrive, je fais le choix de me retrousser les manches encore plus et de prioriser ma personne et ma santé.

EST-CE QUE TU PENSES QUE TOUTES LES FILLES SONT FOLLES?

Non. Folles dans le sens «hystérie» ou dans le sens «maladie mentale»? Dans les deux cas, ma réponse reste non! :p Je ne considère pas non plus que les filles sont plus portées à souffrir de troubles de comportement ou de maladie mentale.

Je n'aime pas le reflet de ma silhouette dans le miroir, mon moral va être bas et je risque de beaucoup plus penser à ma consommation alimentaire.

Annie, 30 ans

Tes petits comportements orthorexiques

EST-CE QUE TU AS DÉJÀ EU DES PROBLÈMES D'IMAGE QUAND TU ÉTAIS PLUS JEUNE ?

J'ai toujours été une enfant et une jeune femme bien dans sa peau. Sans dire que je me trouvais toujours magnifique, je n'avais pas de problèmes d'image particuliers. À partir de l'âge de dix-huit ans, je suis devenue plus «femme» et je me suis mise à me trouver jolie et attirante. J'ai des parents qui ont toujours pris soin de m'aider à me sentir bien, de me complimenter, et un réseau d'amies proches qui ne vivaient pas de problèmes d'estime de soi, ce qui faisait que nous ne nous mettions pas de pression les unes sur les autres.

TU AS VÉCU UNE GROSSESSE *ROCK AND ROLL*. EST-CE QUE TU PEUX NOUS EN PARLER BRIÈVEMENT ?

La vingtième semaine fut sans contredit le point tournant de ma grossesse. Je suis partie du bureau un matin pour ne jamais y revenir. J'ai été opérée d'urgence une première fois pour une appendicite, les soucis de santé se sont alors accumulés, et ce, jusqu'à mon accouchement. À vingt-deux semaines de grossesse, une grave complication de ma première opération est survenue. Comme j'étais victime d'une péritonite, une deuxième opération d'urgence a été nécessaire pour me sauver la vie et cette fois, impossible de le faire simplement par une laparoscopie (qui ne crée que de fines cicatrices). Mon ventre a été ouvert à la verticale sur une longueur d'environ 30 centimètres et ensuite refermé à l'aide de nombreuses broches, en plus de la nécessité d'installer des drains abdominaux. Le choc au réveil a été immense. Pensant tout d'abord avoir perdu mon bébé, j'ai vite réalisé l'ampleur de la situation et de la modification corporelle, qui deviendrait permanente. Je me rappellerai toujours la douleur physique et morale des premiers jours. Mon cœur de maman s'accrochait au fait que mon petit garçon était toujours en vie, mais mon regard de femme ne pouvait se détacher des marques de souffrance qui couvraient mon corps.

EST-CE QUE TU TE SENTAIS BIEN DANS TON CORPS (OUTRE LES OPÉRATIONS) DURANT TA GROSSESSE ?

La suite de ma grossesse n'a pas été de tout repos, puisque le diabète gestationnel avec insuline s'est ajouté ainsi que de la prééclampsie. J'étais physiquement souffrante et épuisée, mais j'aimais l'image de femme enceinte que je projetais dans mon miroir. Mon conjoint est celui à qui je dois l'acceptation de mon corps charcuté. Pour lui, c'était l'image de la force à l'état pur. Celui d'une femme ayant presque perdu la vie pour sauver celle de son bébé. Sans lui, je pleurerais probablement encore mon corps d'avant, convaincue que plus jamais il ne pourrait être désirable. De magnifiques photos de grossesse m'ont aussi permis de me trouver belle avec toutes les rondeurs qui accompagnent la maternité.

QUAND AS-TU COMMENCÉ À FAIRE DE L'EXERCICE APRÈS TON ACCOUCHEMENT ?

Ayant été si longtemps confinée à mon lit et à mon divan durant ma grossesse, j'ai vite ressenti le besoin de me remettre en forme. Trois jours après mon accouchement, j'avais déjà perdu le peu de poids pris durant ma grossesse, mais la fin abrupte de mon allaitement après un mois et demi s'est accompagnée d'une prise de poids subite de 8 livres, que j'ai trouvée très difficile pour mon estime personnelle. Pour la première fois de ma vie, je me suis sentie laide et mal dans ma peau. Ce fut le déclencheur de mon inscription à des cours semi-privés de remise en forme. Mon garçon avait trois mois.

EST-CE QU'IL Y AVAIT UNE PERSONNE QUI TE POUSSAIT À ÊTRE PLUS EN FORME ET À MIEUX MANGER ?

Aucune personne de mon entourage. Les cours de remise en forme s'accompagnaient d'un plan alimentaire très précis, de mesures et de photos avant/après à la fin de chaque session de quatre semaines. Mon objectif premier était de retrouver mon poids d'avant grossesse, ou à tout le moins de me trouver belle de nouveau dans le miroir, et d'améliorer significativement mon endurance cardiovasculaire. Voyant ma détermination et le sentiment que j'avais de m'accomplir, mon conjoint m'encourageait sans jamais faire de commentaires sur mon poids ou mon apparence. Obtenant des résultats rapides et visuellement frappants, je suis vite devenue l'exemple à suivre pour les autres nouvelles mamans qui s'entraînaient avec moi. Mais ceci est devenu une source de pression indirecte. Plus les mois avançaient, plus mes performances étaient décuplées et plus le nombre de participantes aux cours grandissait. Un groupe Facebook s'est créé avec partage de recettes et de résultats, et le début des défis (ex. : une semaine sans glucides). La pression est devenue de plus en plus forte pour moi et la perte de poids s'est largement accentuée.

QUAND EST-CE QUE TU T'ES RENDU COMPTE QUE TU ÉTAIS SUR UNE PENTE GLISSANTE ?

En avril 2015, j'ai couru mon premier demi-marathon, avec seulement trois entraînements préalables. J'étais si absorbée par mes cinq à six entraînements par semaine que je n'avais plus le temps d'en ajouter d'autres. J'ai eu le déclic lorsque j'ai pris conscience que j'en étais rendue à me peser trois fois par jour, moi qui n'avais jamais même possédé de balance auparavant. Non seulement j'étais depuis bien longtemps revenue à mon poids d'avant grossesse, mais j'étais même rendue 10 livres en dessous. Les jours de pesée, lors de la fin des sessions, je ne mangeais pas le matin, pour ne pas fausser les résultats obtenus après autant d'efforts et de sacrifices. J'ai alors demandé à mon conjoint ce que lui percevait, et nous avons eu une longue discussion. Ce fut un dur constat, mais j'étais prête à entendre ses inquiétudes.

COMMENT AS-TU FAIT POUR T'EN SORTIR ?

J'ai rangé la balance. J'ai ensuite pris la décision de sauter une session de quatre semaines de cours pour prendre une pause. Le tout concordait avec le congé de paternité de mon conjoint et notre voyage familial en Gaspésie. J'ai donc aussi lâché prise sur le plan alimentaire, car il n'était pas question que je me prive des bonheurs gourmands qu'offre cette région, moi qui suis une amatrice invétérée de fruits de mer. Ce voyage fut le point de non-retour vers mes mauvais *patterns*.

EST-CE QUE TA FORMATION D'INFIRMIÈRE T'A AIDÉE À SONNER L'ALARME ?

J'aurais tendance à dire oui. Si ça ne m'a pas empêchée de me rendre aussi loin, je crois tout de même que j'ai pu voir les signes qui ne trompaient pas avant qu'il soit trop tard et que la spirale du contrôle alimentaire me mène à me priver ou même à me faire vomir. Je n'ai jamais eu faim et je n'ai jamais sauté de repas, mais je contrôlais la qualité des aliments. Ma formation et mon expérience m'ont aidée à distinguer la mince ligne entre l'entraînement sain et celui qui devient obsessif et qui s'accompagne d'un contrôle alimentaire excessif.

COMMENT ÇA VA MAINTENANT ?

Aujourd'hui, je vais bien. J'ai repris du poids, même si j'ai poursuivi l'entraînement de manière modérée. Je ne me pèse plus et j'ai arrêté de démoniser certaines catégories d'aliments. Je suis heureuse de connaître les bases d'une bonne alimentation, mais je n'en fais plus une fixation. Mon moral et ma famille s'en portent assurément mieux. Je devrai probablement être vigilante après une prochaine grossesse, mais comme j'en ai parlé ouvertement avec mon conjoint et ma famille, je sais qu'ils veilleront à ce que je ne retourne pas à mes vieilles habitudes.

EST-CE QUE TOUTES LES FILLES SONT FOLLES ?

Bien sûr que non ! Chaque être humain a le potentiel de vivre des épisodes de folie, mais il serait réducteur, quant à toutes les subtilités de la santé mentale, de dire que toutes femmes sont folles.

Stéphanie, 30 ans

Tes petites maladies invisibles

QUEL ÂGE AVAIS-TU QUAND TU AS EU TON DIAGNOSTIC ?

Dans ma jeune vie, j'ai reçu trop de diagnostics. J'ai souffert d'une dépression sévère au début de l'adolescence. Disons que ma jeunesse ne m'a pas convaincue que la vie valait la peine, et que mon adolescence me l'a confirmé. Mes désirs profondément contradictoires d'à la fois disparaître et plaire à tous m'ont aspirée dans le tourbillon des troubles alimentaires. C'est quand j'avais quatorze ans que le diagnostic d'anorexie est tombé, en emportant avec lui toutes mes aspirations de l'époque. Heureusement, avec l'aide de mon réseau et d'un an de médication, j'ai pu trouver le courage de me remettre sur pied.

Puis, au moment où mon sourire recommençait à habiter mon visage, le diagnostic de la maladie de Crohn m'est tombé dessus. J'avais dix-neuf ans et j'étais bien. J'avais recommencé à manger sans culpabilité, je sortais, j'avais des projets, et tout s'est encore écroulé sous mes pieds qui venaient de retrouver la force d'avancer.

QUEL ÉLÉMENT DÉCLENCHEUR T'A FAIT CHERCHER DE L'AIDE ?

C'est ma mère. J'avais quatorze ans, et elle en avait assez de me voir me détruire un peu plus chaque jour. La crainte de me retrouver sans vie l'habitait et, pour nous sauver toutes les deux, elle m'a amenée voir des spécialistes en pédopsychiatrie. J'en ai vu des bons et des très mauvais. Les bons ont réussi à lever un peu le voile de noirceur qui envahissait mon esprit. La dépression n'a été que passagère, mais pour l'anorexie, ça a été une autre paire de manches.

Et aujourd'hui, avec le Crohn vient la fluctuation fréquente de mon poids. Ce n'est pas évident à gérer, tout cela. Lors d'une rechute, je perds énormément de poids et

les gens m'en félicitent. Par conséquent, quand je vais très bien, je reprends le poids perdu et parfois un peu plus à cause des corticostéroïdes (un médicament). Alors, je me sens coupable et très mal dans ma peau.

Peu à peu, je suis donc retombée malgré moi dans la spirale des troubles alimentaires, mais cette fois-ci, ils sont directement liés à ma maladie. Comme c'est une maladie inflammatoire chronique de l'intestin (MICI) qui peut occasionner des selles liquides abondantes, des saignements rectaux ou une obstruction intestinale, aller bien est directement relié au type de nourriture que j'ingère. Il m'arrive de me priver de manger de peur de souffrir, je peux jeûner régulièrement pour une journée complète, ce qui fait que je ressens de moins en moins la faim. Dans ce temps-là, je perds du poids et ça me satisfait doublement. Je n'ai pas mal et je maigris.

L'affaire, c'est que quand je vais bien, je reprends mon poids «naturel» et ça me trouble. Je suis heureuse de me sentir en pleine forme, mais c'est contradictoire avec le sentiment que je ressens en tentant d'enfiler mes *skinny jeans* un peu plus serrés. Celui-là est dévastateur. Quand je sens que j'ai repris un peu de poids, il peut m'arriver, à l'occasion, de faire exprès de manger un aliment qui me rendra malade, dans le but de me faire vomir.

COMMENT AS-TU RÉAGI QUAND ON T'A DIT QUE TU ÉTAIS ATTEINTE D'UNE MALADIE MENTALE ?

Après les expériences en pédopsy que j'ai eues plus jeune, le terme maladie mentale ne m'effraie pas du tout. Au contraire, je travaille maintenant dans le domaine. Je me donne comme mandat d'en parler le plus possible, et avec le plus d'ouverture possible, pour empêcher de stigmatiser la population qui en souffre et pour ouvrir la porte à ceux qui la vivent en silence.

QUELLE A ÉTÉ LA RÉACTION DE TON ENTOURAGE ?

Dans ma famille, plusieurs personnes souffrent de divers troubles. Ainsi, le sujet n'est pas du tout tabou. Ce qui est plus difficile, c'est d'en parler au reste de mon entourage proche, car c'est difficile de s'ouvrir auprès de certaines personnes qui ont le jugement facile. Sauf que je ne m'empêche pas d'en parler ouvertement dans le but de créer de la discussion... ou des malaises !

COMMENT VIS-TU TA MALADIE ?

Chaque jour est un combat. Depuis quelque temps, je crois avoir réussi à passer à travers la pire zone de guerre. Il m'arrive encore de ne pas avoir le goût de me lever le matin, oui, mais je regarde mes deux filles qui dépendent de moi et ça me force à mettre un pied devant l'autre. J'avance pour elles. Je ne prétends pas que c'est facile de le faire. J'y arrive, car je suis bien entourée. Je n'oublie pas d'où je suis partie et je suis consciente de ma fragilité devant la maladie.

QUELLE EST LA CHOSE LA PLUS POSITIVE QUE TA MALADIE T'A APPORTÉE?

Ce que je vis m'a donné une voix. Je réalise qu'en prenant la parole sur des sujets aussi tabous que l'anorexie, la dépression et la maladie de Crohn, je m'aide... et j'aide plusieurs personnes qui vivent avec la même souffrance que moi. Depuis que j'extériorise mes bêtes noires, elles voyagent de ma tête au clavier. Ça fait de la place à de plus belles pensées.

LA PLUS NÉGATIVE?

Le plus difficile dans tout cela est de voir mes proches souffrir à cause de moi. Il m'arrive de perdre le contrôle, de péter les plombs, de pleurer en boule parce que j'ai trop mal (physiquement et mentalement). Je ne veux pas que mes filles et mon mari me perçoivent comme étant faible. Je déteste me sentir comme une victime et je ne veux surtout pas les décevoir. Ces sentiments sont épuisants, car je dois parfois faire semblant que ça va pour eux alors qu'en dedans, je m'autodétruis.

EST-CE QUE TU EN PARLES OUVERTEMENT?

J'en parle le plus possible et je suis très accessible. Dans la vie, je n'ai pas vraiment de tabous, et c'est ce qui encourage certaines personnes à se confier à moi, car elles savent que je ne les jugerai pas. La porte est toujours ouverte aux échanges et je suis très transparente par rapport à ce que je vis. Je prône l'entraide et ce n'est jamais une compétition de qui souffre le plus, le but est de grandir et de s'épanouir.

COMMENT ÇA VA?

Ce soir, je vais bien. Demain, je ne sais pas comment ça ira.

EST-CE QUE TU PENSES QUE TOUTES LES FILLES SONT FOLLES?

Je déteste le terme folle et surtout la généralisation «toutes les filles». Je pense plutôt que chaque individu est unique et que c'est ce qui rend l'humain absolument fantastique. Mais certains naissent dans des conditions plus privilégiées que d'autres. La folie dépend aussi du regard que l'autre porte, tout dépendamment de son histoire. Cette histoire peut être belle ou horrible, tout comme l'être humain qui se cache derrière. En ce qui concerne la femme, je l'admire. Je lui lève mon chapeau, car son combat n'est toujours pas gagné. La femme se bat quotidiennement contre le patriarcat, les préjugés, la pression d'être belle, d'être une bonne mère, une bonne épouse, pas trop contrôlante, cochonne, sexy mais pas putain, qui prend sa place mais pas trop et surtout qui ne doit pas trop montrer ses états d'âme au risque d'être traitée de FOLLE.

Chaque jour est un combat. Depuis quelque temps, je crois avoir réussi à passer à travers la pire zone de guerre.

Les différents types de troubles alimentaires

JOSIANE STRATIS

Selon les sources, il y a quatre grands troubles alimentaires : l'anorexie, la boulimie, l'hyperphagie et les troubles alimentaires non spécifiés. N'étant pas spécialiste dans les troubles alimentaires, je vais vous décrire chacun d'entre eux de manière très simple.

L'anorexie est une maladie mentale caractérisée par une perte de poids intense causée par une privation de nourriture. La boulimie est caractérisée par des cycles de privation, puis d'ingestion de nourriture, puis de culpabilité et, souvent, de purge (vomissements). L'hyperphagie, c'est une ingestion rapide de nourriture sans purge, donc sans comportement compensatoire. Et finalement, il y a les troubles alimentaires non spécifiés, qui englobent un paquet de comportements liés à des troubles alimentaires, mais aucun trouble alimentaire non spécifié n'inclut tous les symptômes d'un des trois autres.

Une affaire plurifactorielle

Quand une personne a un trouble, ça ne veut pas nécessairement dire qu'elle veut juste être mince. En fait, c'est plus une réponse à un paquet d'autres affaires. Vouloir être mince et répondre aux normes de la société est juste comme la pointe de l'iceberg.

Les causes peuvent donc être individuelles (anxiété, problèmes de poids, antécédents familiaux, perfectionnisme, difficulté à s'exprimer, etc.), familiales (relations pas faciles avec la famille, dépendance, préoccupation alimentaire des autres personnes de la famille, etc.) ou environnementales (événement traumatique, agression sexuelle, événement stressant, réseaux d'amis peu soutenants, etc.), et finalement, il y a les standards de beauté (et même les exigences de certains sports).

T'sais, ouf, ça fait un paquet d'affaires à surveiller du coin de l'œil. Reste qu'il y a des sons de cloche auxquels on peut être plus sensible, par exemple si vous ne vous sentez jamais adéquate dans votre corps, si vous avez toujours besoin de vous faire valider, si vous êtes perfectionniste.

S'il y a un trouble alimentaire qui se développe, c'est souvent qu'intimement, il y a quelque chose qui tourne pas rond. Comme avec toutes les maladies mentales, c'est souvent la conséquence de quelque chose de plus grand.

Donc #LesGens qui pensent que c'est juste une affaire de minceur : *nope* !

Ça se peut-tu, guérir ?

Il y a un chiffre qu'on entend dans le milieu des intervenants en troubles alimentaires, et c'est un tiers. Il y a un tiers des personnes qui vont guérir, un tiers des personnes qui vont se battre contre ça toute leur vie et un tiers des personnes qui ne vont jamais s'en sortir. Je crois qu'il est juste de dire que, comme dans toutes les maladies mentales, le chemin pour se sortir d'un trouble alimentaire est long et ardu.

Tout ce qui tourne autour

Ce qui est difficile, c'est qu'à un certain moment, c'est « facile » de flirter avec les comportements de troubles alimentaires. Par exemple, compenser si jamais vous avez beaucoup mangé en faisant vraiment beaucoup d'exercice, c'est très proche des comportements à risque et des facteurs qui peuvent vous faire tomber dans un trouble alimentaire. Sinon, il y a le fait que c'est glamourisé, avoir un trouble alimentaire, depuis des années. Ça n'en reste pas moins *fucking* dangereux. En plus des désagréments, comme perdre ses cheveux, arrêter d'avoir ses règles, avoir des problèmes de reins, de l'ostéoporose, des attaques cardiaques, il y a aussi la mort comme danger. YOLO, ou pas vraiment.

Bref, si vous avez un trouble alimentaire, c'est important d'essayer d'aller mieux. C'est *tough*, mais faut essayer fort. Après on *dealera* avec le monde *fucked up* dans lequel on vit, OK ? ∎

* Si votre relation avec la bouffe est compliquée, parlez-en à un psy ou à un nutritionniste, ou bien entrez en contact avec l'ANEB (Anorexie et boulimie Québec). Sinon, il existe un paquet de centres spécialisés en la matière, qui varient selon votre lieu de résidence. Une méthode simple est aussi de demander de l'aide aux CLSC, qui peuvent vous expliquer la marche à suivre pour vous faire aider.

Anorexie et boulimie Québec : www.anebquebec.com

Myriam, 25 ans

Ta petite hyperphagie boulimique

QUEL ÂGE AVAIS-TU QUAND TU AS EU TON DIAGNOSTIC ?

J'avais vingt et un ans quand j'ai eu mon diagnostic d'hyperphagie boulimique. À l'époque, j'étais en évaluation pour un tas d'autres maladies mentales. C'était à l'automne 2013, quand tout mon monde s'écroulait. Personne ne m'a annoncé que j'avais ce trouble. J'avais demandé à mon médecin de pouvoir lire l'évaluation psychiatrique que l'hôpital avait faite sur moi. Sur la première page du document de 25 pages était écrite ma longue liste d'épicerie de diagnostics. Dépression majeure, trouble d'anxiété généralisée, trouble panique avec agoraphobie et trouble alimentaire (hyperphagie boulimique). Je tombais un peu des nues. Pas pour l'anxiété et la dépression, mais pour le trouble alimentaire. Personne n'avait jamais abordé ce sujet avec moi. Si je ne l'avais pas lu dans mon dossier, je doute fort qu'on me l'aurait expliqué.

QUEL ÉLÉMENT DÉCLENCHEUR T'A FAIT CHERCHER DE L'AIDE ?

Avec ma dépression de 2013, je suis allée consulter une merveilleuse psychologue. C'est avec elle que j'ai abordé le sujet de l'hyperphagie boulimique pour la première fois et que j'ai compris les mécanismes de mon trouble alimentaire. Lorsque je suis trop anxieuse, mon cerveau me crie «MANGE!». Là, toutte y passe. Il faut que je remplisse le vide que crée l'anxiété dans mon corps et dans ma tête avec de la nourriture. Au début, après ces épisodes, j'avais incroyablement honte. Souvent je me réfugiais dans mes couvertures. Pour me punir, je coupais avec un couteau ce corps que j'avais gavé. Ma psychologue m'a fait prendre conscience de tout le mal que je me faisais. On ne va pas mieux en se faisant du mal. Il faut apprendre à se faire du bien.

COMMENT AS-TU RÉAGI À TON DIAGNOSTIC ?

Je ne pensais jamais que les grosses pouvaient avoir un diagnostic de trouble alimentaire. Au début, j'étais assez incrédule. Par contre, quand je me suis fait expliquer ce qu'était l'hyperphagie boulimique, ça m'a fait beaucoup de bien. J'ai pu mettre des mots sur mes épisodes de gavage. Apprendre à me *shamer* un peu moins. Apprendre à accepter, ou du moins à comprendre, les mécanismes qui forcent ma tête à gaver mon corps.

QUELLE A ÉTÉ LA RÉACTION DE TON ENTOURAGE ?

Je n'ai vraiment pas encore l'impression qu'ils comprennent. Pour eux, je fabule. J'invente une raison pour justifier le fait que je mange tous les biscuits. Il m'est arrivé des situations où, après une de mes crises d'hyperphagie, les membres de mon entourage me faisaient ressentir beaucoup de culpabilité par leurs remarques. J'étais faible de ne pas avoir pu résister à la tentation. C'est parfois très *tough* d'entremêler leur honte à la mienne. Je ne pense pas qu'ils le font méchamment. Ils veulent mon bien, ma santé. C'est juste qu'ils ne comprennent pas tout l'impact que peuvent avoir leurs mots sur moi.

COMMENT VIS-TU TA MALADIE ?

J'essaie de moins me juger. J'essaie de comprendre et de prévenir mes crises, de trouver d'autres façons de gérer mon anxiété avant que tout n'éclate. Je vais prendre des bains. Je prends des marches en écoutant de la musique. Si je ne peux absolument pas contrôler mon impulsion de manger, j'essaie de me gaver de choses qui me font sentir moins coupable. Des galettes de riz, des fraises, des graines de tournesol. Des aliments qui peuvent combler mon *craving*, mais qui ne me donnent pas envie de me faire du mal après les avoir consommés à outrance. Et parfois, c'est sûr que ça va arriver. C'est un mécanisme de gestion de l'anxiété trop ancré dans ma tête. Parfois je mange le sac de chips au complet. J'essaie de ne plus vouloir me détruire complètement après. J'essaie de comprendre la source de l'anxiété qui m'a amenée à me gaver. Je travaille sur mes pensées anxiogènes et je tente de les réorganiser.

QUEL A ÉTÉ TON TRAITEMENT ?

Pour l'anxiété et la dépression, j'ai été médicamentée. Je prends des antidépresseurs et des anxiolytiques. Je suis aussi en thérapie avec une incroyable psychologue depuis trois ans. Avec l'approche cognitive-comportementale, j'apprends à restructurer les pensées anxieuses qui me poussent à manger. Ma psychologue m'a aussi aidée à trouver des stratégies de substitution au gavage.

remplir le vide

PARLE-MOI DE TA MALADIE DANS UNE JOURNÉE ORDINAIRE.

Le plus *tough*, c'est quand je me retrouve toute seule chez moi. On dirait que c'est à ce moment que l'anxiété est la plus forte. Où j'ai le plus envie de m'autodétruire ou de me faire du mal, beaucoup de mal. L'anxiété crée en moi un vide énorme que je DOIS combler avec de la nourriture. L'angoisse vient vraiment par vagues, et celles-ci m'engloutissent. Le reste du temps, je n'y pense pas trop. C'est sûr que j'ai quand même une relation *fucked up* avec la nourriture. Quand manger est un plaisir, mais aussi une façon de s'autodétruire, c'est difficile pour sa tête de faire la part des choses. L'hyperphagie boulimique est aussi une des raisons pour lesquelles mon corps est gros. Je dois apprendre à vivre avec mon corps obèse, tant stigmatisé par la société. Être grosse et me trouver belle et *worthy*. C'est un peu une bataille de tous les instants.

QUELLE EST LA CHOSE LA PLUS POSITIVE QUE TA MALADIE T'A APPORTÉE ?

Mon diagnostic de trouble alimentaire m'a permis d'avoir de la compassion pour moi et ma tête. Je suis une battante et je me bats constamment contre moi-même. J'ai appris à ne plus me juger. À accepter qu'il soit possible que j'aie des phases où je n'arrive pas à m'arrêter. Un jour, je serai capable de m'en sortir, d'être plus forte que mon trouble alimentaire.

LA PLUS NÉGATIVE ?

J'aimerais vraiment avoir une meilleure relation avec la nourriture. Arrêter d'associer nourriture et honte. Arrêter de vouloir me faire du mal chaque fois que je rechute et que je me gave. J'aimerais juste vraiment arrêter d'avoir mal. Être capable de me comprendre et d'arrêter de me faire du mal.

EST-CE QUE TU EN PARLES OUVERTEMENT ?

Oui et non. J'en parle de façon détachée. Je suis capable d'expliquer ma condition et les mécanismes qui me mènent à avoir des crises d'hyperphagie boulimique. Par contre, je ne suis pas capable d'en parler au quotidien. D'avouer à quel point c'est difficile pour moi de *dealer* avec mon trouble alimentaire chaque jour. Je n'en parle pas. Lorsque je fais une crise, je n'en parle pas non plus. Je la vis toute seule et je crois que c'est très problématique. Il faut que j'apprenne à m'ouvrir et à en parler.

COMMENT ÇA VA ?

Pas parfaitement, mais mieux. Ça m'angoisse d'en parler. Mes crises d'hyperphagie ont tellement longtemps été associées à de la honte. Répondre à ces questions aura été très difficile. Très anxiogène. Je viens de manger quatre cuillères de Nutella en répondant. En ce moment, le sentiment de honte est très présent. J'ai envie de me couper ou d'aller me faire vomir, mais je ne le ferai pas. C'est une promesse que je me suis faite. J'essaie d'agir et de me faire du bien au lieu de me faire du mal. Je veux aller mieux, mais c'est vraiment très difficile de me sortir de mes *patterns* de trouble alimentaire.

EST-CE QUE TU PENSES QUE TOUTES LES FILLES SONT FOLLES ?

Les humains sont fous. Je crois qu'il y a du beau et du crissement *fucked up* dans chacune de nos têtes. Nous sommes tous et toutes de la chair à psychiatre. Psychanalysez-moi ce mal-être que je ne saurais voir. On est tout seul en gang. Tout seul avec la peur, la peine pis l'amour. Pour moi, avoir des émotions, c'est être folle. Il faut être fou pour savoir *dealer* avec *all the feels*. J'avais toujours eu peur d'être folle. Du moins de ce que ce mot représentait pour moi. Perdre le contrôle de mon corps. Laisser ma tête s'engouffrer complètement dans l'anxiété et la dépression. Me laisser noyer et laisser la part de rationalité et logique être emportée. La perte de contact avec la réalité était ma peur suprême. Plus que la mort, plus que tout.

J'avais peur de la folie. Jusqu'à ce que je décide de me réapproprier le terme. Un jour, j'ai compris que tout le monde avait quelque chose qui lui grignotait le cerveau. Toutes des folles, tous des fous. Je pense que le grand défi qu'on a dans la vie en tant qu'êtres humains, c'est justement d'apprivoiser cette folie. Apprendre à guérir les blessures qui s'accumulent, les comprendre et les accepter totalement pour juste être bien. Je crois que c'est le travail d'une vie. Une vie de fou.

Justine, 29 ans

Ta petite anorexie mentale

QU'EST-CE QUI S'EST PASSÉ DANS TA VIE POUR QUE TU DÉVELOPPES UN TROUBLE ALIMENTAIRE ?

J'étais ronde à la puberté, parce que j'ai dû prendre la pilule contraceptive pour tenter de régler mes problèmes de cycles menstruels. Les hormones ont eu l'effet suivant : me faire gonfler et me faire grossir. J'ai pris énormément de poids et je suis devenue très mal dans ma peau. J'avais de la cellulite et des vergetures à onze ans. Un jour, une grand-tante que j'adore m'a dit « à la blague » que j'avais de la culotte de cheval. Je pense que ça a été le réel déclencheur qui m'a fait prendre conscience de mon corps et comprendre pourquoi je me sentais si mal en dedans.

C'est niaiseux, mais à cause de mon poids, je ne pouvais pas m'habiller comme les autres. Je ne pouvais pas porter ce qui était à la mode. Des petits facteurs comme ça m'ont fait réaliser que j'étais différente. Et par *différente*, je veux dire ronde.

QUAND EST-CE QUE TU T'ES RENDU COMPTE QUE TU AVAIS UN TROUBLE DE CONDUITE ALIMENTAIRE ?

Quand je m'en suis rendu compte, il était presque trop tard. C'est aujourd'hui, 15 ans plus tard, que je réalise que ce trouble s'est installé alors que j'étais bien jeune. Je parlais constamment de nourriture, de calories ou de mon poids. Je voulais porter du noir pour m'amincir, des chandails amples. Je me « cachais » tout le temps et je me comparais aux autres sans arrêt. Je faisais beaucoup de sport à l'époque. Je me souviens que lorsque les entraînements étaient plus difficiles, je disais à mes coéquipières : « *Let's go* les filles, on perd des calories ! »

QUEL ÂGE AVAIS-TU QUAND TU AS EU TON DIAGNOSTIC ?

J'ai eu mon diagnostic beaucoup plus tard. J'avais vingt-deux ans. Il s'agit d'anorexie mentale de type restrictif. Je n'ai, par ailleurs, jamais passé de cycle menstruel. J'ai eu par contre un cycle menstruel déréglé pendant mes deux épisodes d'anorexie.

QUEL ÉLÉMENT DÉCLENCHEUR T'A FAIT CHERCHER DE L'AIDE ?

Ça n'avait rien à voir avec le problème en soi. Après ma première crise, une épreuve familiale m'a poussée à consulter, ce que j'ai fait pendant plus de cinq ans. La thérapie a dévié vers mon trouble alimentaire. En fait, peu de personnes savent ceci, parce que j'ai toujours gardé cette partie de ma thérapie un peu secrète. J'avais toujours pensé que j'avais réussi « par moi-même » à me sortir de mon problème, mais mon problème était toujours là. Comme mon épreuve familiale m'avait fait prendre beaucoup de poids, parce que j'avais cessé de prendre bien soin de moi, j'étais en quête de la minceur à tout prix. Je faisais un régime et énormément de sport. On s'est mis à en parler à la thérapie, et ça m'a aidée à ne pas retomber dans mon *pattern*.

J'ai été très malade à la suite de mon premier épisode, les médecins pensaient que j'avais une leucémie. Finalement, c'était une mononucléose très avancée qui a pris plusieurs mois à guérir et qui m'a affaiblie pour plusieurs années.

COMMENT AS-TU REÇU CE DIAGNOSTIC ?

Je le savais. Je savais que j'avais un problème à ce niveau-là. Je le sais encore. Le savoir et l'accepter, ça me permet d'avoir conscience des déclencheurs et de me protéger.

QUELLE A ÉTÉ LA RÉACTION DE TON ENTOURAGE ?

Peu de gens sont au courant. Et ça me va ainsi. Malheureusement, les gens ont tendance à être très maladroits quand on parle de troubles alimentaires ou de maladie mentale en général. Je n'ai pas de problème à me passer des discussions ou des commentaires des autres.

COMMENT VIS-TU TA MALADIE ?

Je me parle tous les jours. Je me dis que mon corps est correct. Je me dis que je dois lui faire attention et lui donner ce qu'il y a de meilleur. Je suis maman maintenant, et je n'ai plus le droit de ne penser qu'à moi. L'anorexie est une maladie que l'on peut qualifier d'égoïste et d'individualiste, même si elle se vit sous le regard de tous. La mère que je suis ne veut pas que sa fille voie les signes visibles de la maladie chez moi. Cela dit, je refuse de passer la maladie elle-même sous silence.

EST-CE QUE LES GENS AUTOUR DE TOI OSAIENT T'EN PARLER ?

En fait, comme j'étais ronde, c'était super insidieux parce que les gens ont commencé à me parler quand j'ai perdu du poids. Les gars de ma classe le remarquaient, mes amis, etc. Donc, personne n'y voyait vraiment un «problème». C'est après quelques mois que c'est devenu problématique. À la rentrée scolaire suivante, j'étais vraiment très très mince. Encore là, je cachais assez bien mon jeu, donc on attribuait ma perte de poids au sport et à la puberté.

QU'EST-CE QUE TU AS TROUVÉ LE PLUS DIFFICILE DANS TOUT ÇA ?

Ça n'a pas de bon sens de dire ça, mais ce qui a été le plus difficile a été d'accepter que de reprendre du poids était «bon» pour moi. Il a fallu que je comprenne et que j'accepte que mon corps et mon esprit n'avaient plus la capacité de tenir cette «discipline»: mentir sur ce qu'on mange, manger le minimum juste pour pas sentir qu'on va s'évanouir, faire du sport pour éliminer si on a trop mangé.

QUELS MOYENS TU AS PRIS POUR T'EN SORTIR ?

C'était le temps des Fêtes. J'étais très faible et très maigre. Ma mère était inquiète et elle en avait parlé à ma grand-mère. Celle-ci, sachant que j'adorais sa nourriture, m'a préparé tous mes plats préférés. Je ne voulais pas l'inquiéter, alors je me suis fait violence et j'ai mangé. Les premiers repas ont été très difficiles. Ça ne passait pas. Puis, j'ai réintégré les vrais repas dans ma routine. J'étais trop jeune, je pense, pour me rendre vraiment compte de mon problème.

EST-CE QUE TU TE CONSIDÈRES COMME GUÉRIE, MAINTENANT ?

Pas vraiment. D'un côté, je suis guérie, car je n'aurais plus le désir de faire subir ça à mon corps, sauf que je pense sans arrêt à ma maladie. C'est toujours dans ma tête et ce le sera toujours. Je sais aussi que je ne suis pas à l'abri d'une rechute, puisque j'en ai vécu une il y a quatre ans.

QUELLE EST LA CHOSE LA PLUS POSITIVE QUE TA MALADIE T'A APPORTÉE ?

Apprendre à aimer mon corps comme il est, au-delà du regard que les autres portent sur lui. Quand tu réussis à te

faire des nouveaux amis et un chum parce que tu maigris à vue d'œil, c'est difficile de ne pas penser que c'est l'œuvre de ce corps mince, contrôlé et mal nourri.

LA PLUS NÉGATIVE ?

Y penser constamment. Même quand ça va bien. Aujourd'hui, je ne voudrais tout simplement pas me faire ça à moi-même, mais je sais que c'est là, et je sais qu'il peut toujours y avoir un élément déclencheur hors de mon contrôle.

EST-CE QUE TU EN PARLES OUVERTEMENT ?

Oui et non. En fait, j'en parle ouvertement, mais pas avec tout le monde. Et j'ai plus de difficulté à m'ouvrir sur mes démons intérieurs avec mes proches qu'avec des inconnus.

EST-CE QUE TU TROUVES QUE C'EST DIFFICILE, TON RAPPORT AVEC LA NOURRITURE, MAINTENANT ?

On dirait que pour me «guérir», j'ai décidé de plonger à fond dans mon côté épicurien. Aimer manger. Apprécier le goût du bon et du beau en nourriture. Goûter les saveurs ! Je ne pourrais plus m'en passer ! Je me déculpabilise immédiatement après un excès de nourriture, parce que c'est la culpabilité qui devient dangereuse. Je me tiens loin de tout régime et de toute diète, parce que ça deviendrait un «mode de vie» et une façon pour moi de «contrôler» ce que je mange.

TU AS ÉTÉ ENCEINTE. EST-CE QUE C'ÉTAIT DIFFICILE DE VOIR TON CORPS PRENDRE DE L'EXPANSION ?

J'ai pris très peu de poids pendant ma grossesse, mais c'était une peur panique que j'avais au début: «DEVENIR GROSSE». J'avais peur de perdre le contrôle de mon corps. J'avais peur de ne plus me reconnaître dans ce corps qu'habitait mon enfant. J'ai pris chaque nouvelle livre un jour à la fois. Puis, j'ai rapidement mis de côté le linge qui ne me faisait plus. Je me suis arrangée pour me sentir bien à chaque étape. Enceinte, j'ai vraiment lâché prise. Ce devait être les hormones, parce que ça a marché. Je n'écoutais pas trop les infirmières qui calculaient ma prise de poids. Les entendre parler de ça, c'était difficile. Puis, on m'a diagnostiqué du diabète de grossesse, j'ai eu peur parce que je devais suivre un «régime». Finalement, ça ne m'a pas fait l'effet habituel d'un régime. Je pense vraiment qu'enceinte, les hormones m'ont calmée et m'ont offert ce zen dont j'avais besoin. Maintenant qu'elles ont toutes foutu le camp... je dirais que je suis pas mal moins zen. Ha! ha!

COMMENT ÇA VA ?

Ça va bien, mais ça ne va pas super bien. C'est difficile. Le post-partum. Les hormones qui vont et qui viennent. La fin de l'allaitement. L'allaitement, c'est à double tranchant pour une personne qui a des troubles alimentaires. Allaiter, c'est une énorme dépense d'énergie, mais en même temps, ça donne faim comme jamais. Je mangeais comme un ogre pendant que j'allaitais, sans prendre une livre. J'étais une nouvelle personne. Je ne me reconnaissais pas. J'étais bien, par contre.

EST-CE QUE TOUTES LES FILLES SONT FOLLES ?

Je déteste ce terme, *folle.* Donc, non, les filles ne sont pas folles. Les filles sont, par ailleurs, généralement plus enclines à parler de leurs problèmes de santé mentale. Elles sont plus à même de verbaliser quand ça ne va pas. Est-ce que parler de ses problèmes ouvertement fait en sorte qu'une fille est plus folle qu'un homme pourrait l'être dans la même situation ? Non. Au contraire. Je trouve aussi très dommage qu'une personne atteinte de maladie mentale se considère comme étant «folle». C'est très péjoratif comme terme.

Je voulais porter du noir pour m'amincir, des chandails amples. Je me «cachais» tout le temps et je me comparais aux autres sans arrêt.

121

4

TON PETIT LOOK II
Les filles sont-elles folles ?

Vulve

« Les Femmes-Vulves sont entièrement recouvertes de leur
propre sexe, elles disparaissent derrière. »

NELLY ARCAN — *À ciel ouvert*

Je voulais juste
le faire

JOSIANE STRATIS

Parmi les affaires qui me gossent d'avoir vécu ma jeunesse dans les années 1990-2000, outre le fait que les *skinny jeans* auraient réglé ben des affaires s'ils étaient apparus plus tôt, c'est qu'il y a un paquet de sujets dont on ne nous a jamais parlé. J'aurais dû me douter que le cours de « morale » allait nous enseigner une façon de vivre un peu archaïque, mais je me disais que ça ne pouvait pas être pire que les cours de religion.

Parmi les sujets tabous, il y avait le sexe et les maladies mentales. Je ne me suis jamais fait parler de consentement, mais on m'a souvent dit que c'était vraiment important de perdre sa virginité avec SON CHUM et personne d'autre. La première fois, ça pouvait pas être juste parce que t'en avais envie, il fallait que ce soit spécial.

J'avais un petit chum en secondaire 5. C'était mon *kick* depuis le début de mon secondaire. J'étais vraiment contente de mon coup. Je n'aurais jamais pensé sortir avec. Bref, on se frenchait pis je lui faisais des pipes pis c'était tout. Un moment donné, je croyais qu'on allait le faire, puis mon père est rentré à la maison, ça a fait un frette parce que je ne pouvais pas avoir de gars dans ma chambre. Mon chum m'a laissée une semaine plus tard. Je pensais que j'allais faire l'amour AVEC MON CHUM avant la fin du secondaire, mais *nope*.

Quand j'ai commencé le cégep et les partys de cégep, je me trouvais vraiment un peu *lame* de ne pas avoir fait l'amour, surtout que les partys de cégep avaient l'air d'être faits pour ça. Je travaillais au Subway à ce moment-là et il y avait un beau gars qui me faisait de l'œil. Nous avons commencé à faire des activités ensemble, puis un jour on a décidé qu'on sortait ensemble. Le surlendemain, je perdais ma virginité pis c'était ça.

Je me souviens du sentiment de fierté/honte que j'avais à ce moment-là. Bon, enfin c'était fait, cette mémorable fois où j'avais fait l'amour et que j'avais eu mal *down there* pendant quelques jours sans avoir eu de fun pantoute... mais je me rendais aussi compte que j'avais fait ça avec MON CHUM des dernières heures. Ce n'était pas une histoire romantique ni ce qui était censé arriver.

Ce que j'aurais aimé qu'on me dise – et que j'ai compris plus tard –, c'est « tu as le droit de perdre ta virginité dans le contexte qui te fait le plus plaisir, un point c'est tout ». Ah oui, pis faut pas oublier de se protéger, mais ça, on me l'avait dit.

Un jour, le *dude* m'a juste *ghostée* – il ne m'a jamais rappelée après Noël –, puis j'ai bien compris que c'était terminé. Mais comme j'avais passé le *go*, j'avais le droit de coucher avec n'importe qui maintenant, t'sais, maintenant que ma belle fois magique et tellement importante avec MON CHUM était passée. Pfff. ■

Faire l'amour au temps des antidépresseurs

CAROLANE STRATIS

Je ne suis pas à l'aise de parler de sexualité, je veux dire de la mienne en particulier. C'est pourquoi ce texte, quand on entrera dans le vif du sujet, ne sera pas rédigé à la première personne.

Sorry. Comme je prends des médicaments contre la dépression depuis un méchant bout et que je suis assez ouverte sur les effets de ma maladie et tout, ce n'est pas rare que quelqu'un me parle de sexe. Une chance que 90 % du temps, ça se passe derrière un écran d'ordinateur, sinon, je ne pense pas que je serais capable d'aborder ces questions. C'est comme qui dirait mon seul tabou.

Disons, pour commencer, que maladie mentale et sexualité ne font pas toujours bon ménage. Surtout quand les médicaments se mettent de la partie. Plusieurs antidépresseurs occasionnent des effets secondaires sur le *down there* et ce n'est pas tout le monde qui est au courant. Notamment parce que ce n'est pas le premier effet secondaire sur lequel on a tendance à s'attarder. Avec le doc, on aura plutôt envie de parler du temps qu'il faudra pour que les médocs fassent effet et de savoir si on prendra du poids. Et c'est tout à fait correct.

Si le goût de faire l'amour ne s'est pas dissipé en même temps que le goût de se lever le matin, il y a encore des chances que les médicaments aient un effet qui enlèvera du fun de ce côté-là. Outre le fait que certains médicaments mettent sur le neutre TOUTES les émotions pendant un certain temps, c'est plutôt la sécheresse vaginale qui incommode le plus les personnes qui sont médicamentées. Ouais. Plate de même.

L'important, parce qu'une sexualité saine c'est important, c'est de ne pas se forcer à avoir des relations sexuelles si l'envie n'y est pas et de mettre du glisse-doux pour éviter la douleur. Dans un monde où plus rien n'a de sens, il est important de mettre toutes les chances de son côté pour avoir du fun.

Certaines personnes auront peut-être de la difficulté à se *restarter* après une période d'abstinence. Une des options, si vous avez envie de le faire, évidemment, c'est d'essayer la masturbation (ça a l'air matante, dit d'même) afin de vous reconnecter avec votre corps. Essayez dans le bain, question d'être dans un endroit qui est chaud et humide. Vous pouvez vous aider de GIF pornographiques, d'histoires érotiques ou d'un jouet.

Et si le tout reste trop douloureux ou que c'est la panne sèche côté désir, parlez-en à un médecin qui vous aidera à trouver des solutions. ■

> *Disons, pour commencer, que maladie mentale et sexualité ne font pas toujours bon ménage.*

Apprendre sur le tard qu'on a été violée

CAROLANE STRATIS

Deux ou trois ans se sont écoulés avant que je comprenne que j'avais été violée. Pis encore là, je refusais de mettre le doigt sur le bobo. Pas que j'avais oublié tout ce qui entourait ce qui s'était passé dans les jours suivant le *black-out* qui m'avait laissée nue, menstruée, la porte de mon appartement brisée, sans mon permis de conduire ni mon appareil photo.

> *Je ne savais pas ce que c'était que le consentement. On ne me l'avait pas appris à l'école*

Pas que je trouvais normal que mon chien ait découvert une paire de gros boxers dégueulasses – et je n'ai rien contre les boxers, le problème c'est l'inconnu qui les a portés – cachée dans ma chambre à coucher. Pas que j'étais traumatisée par le regard de mon employeur de l'époque, qui avait compris ce qui s'était passé pendant le *staff party* qu'il avait organisé.

Non.

C'est que je ne savais pas qu'un viol, ça pouvait être aussi banal que mon histoire et que les histoires de tant de filles (et de quelques garçons) que je connais. Je ne savais pas ce que c'était que le **consentement**. On ne me l'avait pas appris à l'école. Je voyais les viols comme nous les imaginons grâce aux quelques émissions qui montrent une fille qui crie, poursuivie par un assaillant masqué dans une ruelle sombre. Les clichés.

Mon viol s'est passé sans que j'aie conscience que ça arrivait. J'étais trop soûle. Je me suis réveillée le lendemain avec le plus gros mal de tête, sonnée ben raide. Je ne me souvenais de rien et j'étais franchement déboussolée. Je me suis rendu compte que je n'avais pas dormi avec des culottes. Le problème

Pendant plusieurs mois, j'ai cru que j'avais couru après, que j'avais juste à ne plus boire autant.

avec cette donnée est que j'étais super menstruée et que je ne faisais jamais ça, salir mes draps de mon sang.

Je me suis réveillée parce que je travaillais à midi, alors j'ai pris ma douche, essayé de manger deux toasts, mis mes draps dans la laveuse et cherché mon sac à main avec mes clés pis toutte. Mon sac à main était à moitié vide, mes affaires étaient partout. Je me suis rendu compte que la porte n'était pas barrée, moi qui la barrais tout le temps. En plus, la serrure double (qui a besoin d'une clé pour se barrer de l'intérieur) ne se fermait plus. J'ai cherché mon permis de conduire et mon appareil photo. Ils étaient introuvables.

J'ai pris le métro et je suis arrivée à l'heure. J'ai dû aller vomir quelques fois. Mon boss a eu pitié de moi et m'a coupée pour la journée. Je suis rentrée chez moi, j'ai appelé un serrurier et j'ai dormi le reste de la journée.

Le lendemain, je suivais des cours d'anglais, alors je suis partie et comme je me sentais encore un peu mal, Josiane est venue me chercher. C'est alors qu'elle m'a dit que notre chien avait trouvé des sous-vêtements qui n'appartenaient ni à elle ni à moi (ni à Connord, notre petit chien). J'ai compris que j'avais eu une relation sexuelle pendant mon *black-out*.

Le lendemain, de retour au travail, j'ai eu un appel vraiment bizarre. Le représentant d'une marque avec qui nous avions fait la fête avait trouvé mes affaires dans son char et il me demandait comment j'allais. Après lui avoir dit que je ne me souvenais de rien et lui avoir demandé de me rapporter mes choses au plus vite, j'ai raccroché et je me suis mise à pleurer. J'en ai parlé à mon boss, parce que c'était la figure d'autorité en qui j'avais le plus confiance. Il m'a dit qu'il était vraiment fâché et qu'il allait parler au gars.

S'est ensuivi un mois à essayer de ravoir mes choses, sans succès. Je l'ai menacé par écrit d'appeler la police (sans savoir ce que j'allais dire à la popo, mais ça, ce n'était pas dans mon courriel). Puis j'ai eu mes choses.

Pendant plusieurs mois, j'ai cru que j'avais couru après, que j'avais juste à ne plus boire autant. Célibataire, je n'avais donc pas vraiment de relations sexuelles non plus. Progressivement, j'ai choisi d'oublier ce qui s'était passé, en spécifiant quand même à mon patron que je ne voulais plus voir le monsieur qui m'avait ramenée chez moi ce soir-là. J'ai recommencé à boire à mon habitude et à avoir des *one-nights*.

Puis, j'ai rencontré celui qui deviendrait plus tard mon ex et, alors que je lui parlais de tout et de rien, mon histoire est sortie. Il était tellement en crisse, il voulait aller lui péter la gueule. Il faut dire que c'était un gars assez colérique (j'en parle à la page 89). Je n'avais pas encore associé le tout à un viol.

Quand je suis retombée célibataire, je ne comprenais pas pourquoi je ressentais autant de dégoût envers les gars avec qui je couchais. Je n'étais vraiment pas une personne agréable avec les humains qui avaient choisi, avec le consentement des deux parties, de passer la nuit avec moi. J'allais même jusqu'à être carrément méchante ou complètement détachée. Merci pour vos services, maintenant partez. Ce n'est qu'après une thérapie que j'ai compris que j'associais les *one-night stands* à cet événement.

C'est là que j'ai compris que je m'étais fait violer. ∎

Centre d'aide aux victimes d'actes criminels : www.cavac.qc.ca

La peur au ventre

CAROLANE STRATIS

C'est plus fort que moi, j'y pense tout le temps. Je suis une fille, je me suis fait violer.

Je suis dans un centre d'achats. Je suis avec ma fille de quatre mois dans les bras. Une fille s'approche de moi, elle me dit qu'elle aime ce que je fais. Je la remercie avec tout l'*awkwardness* dont je suis capable. Elle veut faire la conversation encore. Elle me dit que je suis chanceuse d'avoir une fille. Je lui réponds : « Ben, elle a aussi plus de chances de se faire violer. »

Bomb dropped.

Je réalise que je viens de dire quelque chose qui – même si c'est vrai – n'a aucun rapport avec la conversation, alors je m'excuse. Fin de l'anecdote.

C'est plus fort que moi, j'y pense tout le temps. Je suis une fille, je me suis fait violer. Je ne sais plus combien de fois je me suis fait harceler verbalement sur la rue, combien de fois je me suis fait tripoter par des employeurs et des professeurs. Ma fille, avec sa ploune, a une épée de Damoclès qui lui pend au-dessus de la tête.

Je vais assurément tout faire pour lui éviter le pire. Je vais lui parler souvent de ce que c'est, de comment se protéger. Je vais parler à son frère aussi et essayer d'éviter qu'ils grandissent dans cette maudite culture du viol. Le problème, c'est que je vais passer ma vie à avoir peur pour moi, pour elle.

Et ça me met en tabarnak. ∎

Alex, 22 ans

Ta petite androgynie

RACONTE-NOUS UN PEU LA RELATION QUE TU AS EUE AVEC TON CORPS.

Depuis toute petite, je vis avec la dépersonnalisation de mon apparence. Souvent j'ai passé de longues heures dans la salle de bain à analyser mon visage sous tous ses angles. Obsédée par le miroir, par l'impression que j'y laissais. J'ai toujours senti que mon corps me trahissait, qu'il parlait à ma place ou qu'il ne correspondait pas à ce que j'étais vraiment. Au secondaire, j'étais petite, mais ce n'est pas ce que je voyais dans le miroir. Maintenant, j'aime mon corps, et j'essaie d'en prendre soin. Mais le sentiment qu'il ne me ressemble pas revient par vagues.

TU *EMBRACES* LE FAIT D'ÊTRE ANDROGYNE. EST-CE QUE ÇA FAIT LONGTEMPS ?

Mets-en. J'aimais emprunter les vêtements de mon grand frère, mais j'aimais aussi les robes, les affaires roses avec des *glitters*. Pour moi, c'était comme changer d'énergie. J'aimais beaucoup Sailor Moon, Cybersix, ou Sheik dans Zelda. J'aimais les personnages qui pouvaient se transformer à leur guise et semer la confusion, autant par leur apparence que sexuellement. J'ai longtemps cru que mon corps aurait au moins l'amabilité de me laisser me transformer. Passé la vingtaine, mes courbes se sont accentuées, j'ai pris du poids. Et j'ai dû apprendre à vivre mon androgynie autrement.

TU T'ES RASÉ LES CHEVEUX : C'ÉTAIT UN GESTE SIGNIFICATIF ? C'ÉTAIT *TOUGH* ?

C'était à la fois la plus *weird* et la plus belle expérience *ever*. Je me sentais superbe. Je prenais plaisir à jouer de mes yeux comme de pierres précieuses, à me maquiller de manière

plus libre, plus artistique. Mais le regard des gens était bizarre. Je travaillais au service à la clientèle, et les hommes ont été soudainement rebutés, et même si beaucoup de femmes étaient excitées pour moi, plusieurs d'entre elles étaient inquiètes. L'absence de cheveux pour les femmes est souvent associée à une perte de contrôle, à la maladie, ou à Britney Spears en 2007.

BON, ON VA SORTIR LE CHAT DU SAC. TU TE MAQUILLES ET TU AS UN *LOOK* ANDROGYNE ; TU FAIS ÇA POUR MÉLANGER LE MONDE ? *JOKE*. SÉRIEUSEMENT, EST-CE QUE TU SENS DU JUGEMENT PAR RAPPORT À ÇA ?

Quand je parle de mon androgynie à des connaissances ou à des collègues, la plupart d'entre eux s'empressent de me rassurer sur le fait que « j'arrive à être féminine quand même ». Ça rassure probablement beaucoup de gens, parce qu'un visage maquillé est considéré comme féminin d'emblée. Mais le jugement, on s'en sauve jamais vraiment. Les gens sont confus quand j'ai la face toute nue, parce que c'est moins évident. Ils sont confus aussi quand je porte beaucoup de maquillage, parce que c'est un autre débat, de se beurrer la face énormément.

QU'EST-CE QUI FAIT QUE TU AIMES TE MAQUILLER ?

Ça a été un moyen pour moi de reprendre le contrôle sur mon corps. De décider ce que je montrerais, ce que je cacherais, ou l'impression que ma face laisserait sur les gens. Ça m'a aussi aidée à apprécier ce que j'avais d'unique. La forme de mes lèvres, ma structure faciale, la couleur de mes yeux... J'enviais toutes les personnes qui assumaient ce qu'elles avaient d'unique ou d'imparfait, mais j'étais incapable de l'accepter chez moi. J'aime m'asseoir 20 minutes chaque matin et me concentrer sur la manière dont je me sens, sur ce que je veux projeter de mon humeur. C'est artistique, ça calme l'anxiété, pis ça s'enlève à la fin de la journée.

EST-CE QUE TU PENSES QUE C'EST PLUS FACILE POUR UNE FILLE D'ÊTRE ANDROGYNE OU POUR UN GARS ?

Selon moi, la pression est différente. La masculinité est rarement vue comme quelque chose de négatif chez les femmes, à moins que cette masculinité signifie l'arrêt de leur sexualisation aux yeux des hommes. L'androgynie est à la mode quand elle correspond aux standards qu'on impose déjà aux personnes désignées comme femmes : la minceur, la sensualité, les traits conventionnels. Pour les personnes désignées comme hommes, c'est plus difficile d'assumer un côté dit féminin, parce que la féminité est considérée comme une faiblesse. Ce qui me fait le plus chier dans ces manières de voir le monde, c'est qu'on situe encore l'androgynie comme un entre-deux, alors que le but c'est justement de détruire l'impression que le masculin et le féminin sont deux choses uniques et complémentaires.

TU TE DÉFINIS COMME BISEXUELLE. TU SENS QUE C'EST QUELQUE CHOSE QUI N'EST PAS COMPRIS CHEZ LES GENS ?

Mon quotidien est ponctué de petits *coming out* et de préjugés négatifs au sujet de mon orientation sexuelle. Comme c'est rarement pris au sérieux, on m'a souvent corrigée sur le fait que ce n'était pas un «vrai» *coming out* que d'avouer ma bisexualité. Ou alors, c'est perçu comme l'affirmation d'une sexualité dévergondée – voire prédatrice. Les gens exigent des bisexuels qu'ils aient des expériences absolument égales entre hommes et femmes, autrement on nous fait nous sentir confus, ou imposteurs. Alors que le contexte des relations amoureuses, la monogamie et le hasard des rencontres ne pourront jamais légitimer l'orientation sexuelle de qui que ce soit. Dans les *coming out* que j'ai dû faire, j'ai toujours eu à avouer que j'aimais les femmes «aussi». On vit dans un monde ou t'es hétéro jusqu'à preuve du contraire.

EST-CE QUE C'EST DIFFICILE DE *DEALER* AVEC LE REGARD DES AUTRES ?

J'ai remarqué, en *datant* plus de femmes, que la manière dont on regarde les relations hétérosexuelles et homosexuelles n'est pas la même. Avec les femmes, je suis plus consciente de ma carrure, de l'évidence de mon androgynie. Le regard des autres m'angoisse, parce que je sens qu'on cherche à me catégoriser, à se faire une image mentale de mes préférences sexuelles. Quand je sors de mon cercle d'amis, je me sens rapidement comme un cliché féministe hypersexué. Alors je choisis au compte-gouttes les gens à qui je révèle mon orientation sexuelle.

PENSES-TU QUE LES GENS VONT COMPRENDRE UN JOUR QUE MÊME SI UNE PERSONNE A UNE APPARENCE DIFFÉRENTE, CE N'EST PAS DE LEURS AFFAIRES ?

Je l'espère, c'est sûr. Mais j'ai décidé d'arrêter de retenir mon souffle, et j'ai décidé de me pratiquer tranquillement à être plus à l'aise avec moi-même. Porter des choses que j'aime, mais qui sont moins unanimement belles, couper mes cheveux quand et comme ça me tente, frencher une fille en public, assumer mes courbes et ma *queerness*... Les gens ne faciliteront probablement jamais pour moi le fait d'être différente, mais je peux décider d'être mon propre exemple.

EST-CE QUE TOUTES LES FILLES SONT DES FOLLES ?

Si être indépendantes, fortes, loquaces, assumées, passionnées et politisées c'est être folles, alors je souhaite à toutes les femmes de l'être.

J'ai décidé d'arrêter de retenir mon souffle, et j'ai décidé de me pratiquer tranquillement à être plus à l'aise avec moi-même.

Je pensais qu'il fallait toujours le faire

JOSIANE STRATIS

Il y a pas trop de sujets tabous ou qui me gênent dans la vie. Disons que ma limite, c'est si ça implique directement une autre personne qu'on peut identifier. Dans ce temps-là, je n'aime pas trop ça.

C'est donc pour cette raison-là que je ne parle pas beaucoup de ma sexualité sur les réseaux sociaux: je n'ai pas le goût d'impliquer mon chum dans mes histoires! HA! HA!

Par contre, j'ai envie de vous parler de quelque chose qu'il m'a appris dans la vie: c'est de prendre son temps et qu'on n'est pas obligés de faire l'amour chaque soir, même si on s'aime pour vrai. Vous allez me dire «c'est banal ton affaire», mais non.

Merci à mon éducation, à la pression mise sur les personnages féminins dans les films et les séries qui sont toutes des bombes au lit et à tout le monde qui se mêle de la vie sexuelle de tout le monde SANS COMPTER les personnes qui disent que si tu ne fais pas assez souvent l'amour avec ton chum, il va te tromper... Mais je croyais vraiment que pour vivre une relation de couple saine, il fallait que je fasse l'amour le plus souvent possible.

Personne ne m'a jamais demandé si ça me tentait vraiment de faire l'amour tous les jours ou chaque fois que je voyais mes fréquentations et/ou chums. Mon calcul, c'était: fourrer = être aimé. Sauf que... c'est difficile de faire l'amour pour plaire à une autre personne ou de se sentir forcé de faire du sexe pour que l'autre personne se sente mieux. Non?

Bref, quand j'ai commencé à voir mon chum, il m'a vraiment surprise. Pour lui, c'était important de ne pas faire l'amour comme on va se commander une frite au service à l'auto (sur un coup de tête) et c'était important de prendre notre temps.

Pfff. Prendre mon temps? Ça m'avait pris deux jours pour perdre ma virginité, j'avais fréquenté sexuellement tous mes chums avant de sortir avec eux et j'ai eu plus de partenaires que j'ai de doigts sur mes deux mains. Attendre, en 2009 (l'année où je l'ai rencontré), je voulais bien le faire parce que je le trouvais donc ben beau, mais je ne comprenais pas à quoi ça servait.

J'ai seulement compris après avoir eu un enfant ce que cette forme de respect là faisait à notre couple. T'sais, un enfant qui te passe au travers du corps, ce n'est pas nécessairement l'affaire qui *turn* le plus *on*. Bref, durant cette période, plusieurs femmes s'ouvraient à moi. «Oh mon doux, mon chum m'a bien dit qu'une fois le bébé sorti, il était pas capable d'attendre», ou bedon «C'est normal si tel *dude* a trompé telle fille, t'sais, ça faisait six semaines qu'elle avait eu son bébé, pis elle n'était vraiment pas prête à le refaire». Entendre ça, quand j'avais chuchoté, post-accouchement, à mon chum que je savais plus si je voudrais refaire l'amour un jour, ça me faisait capoter.

La morale dans cette histoire-là, c'est que le rythme des rapports dans un couple ne regarde que les partenaires. Et c'est aussi important d'en parler. Je veux dire, je me sens pas mal de dire à mon chum que ça fait tel temps qu'on n'a pas fait l'amour pis que ce serait cool de le faire, comme je n'ai pas honte de mettre ça à l'horaire de temps en temps. «Eille, on fait-tu l'amour ce soir?» C'est une façon de signifier clairement que le désir est là (en plus d'être une demande de consentement, ce qui peut être révoqué n'importe quand).

Un moment donné aussi, ça suffit les petites *games* et la gêne de parler de ça quand on est deux adultes qui s'aiment. Et aussi, ça suffit de faire du sexe pour plaire à l'autre, par peur de ne plus être aimé. Ce genre de comportement, ça peut vraiment avoir des conséquences sur votre façon de vivre votre sexualité, pendant longtemps.

Enfin, c'est important de le redire: le consentement dans une relation sexuelle, ça peut être révoqué quand vous voulez. Si ça vous tente de faire des galipettes, *go*. Si ça vous tente de faire du frotti-frotta seulement, OK. Si ça vous tentait de faire l'amour plus tôt pis que ça vous tente plus, vous n'avez pas l'obligation de faire jouir votre partenaire.

Et si votre chum insiste pour que vous ayez un rapport sexuel avec lui chaque soir, crissez-moi ça aux vidanges, OK? Votre corps, votre choix.

(Sinon, invitez-le à aller se crosser, ça a toujours un effet bœuf, ce petit truc.) ∎

« eille, on fait-tu l'amour ce soir ? »

Laisse-toi aller

JOSIANE STRATIS

En 2005, je crois, j'ai reçu le premier chat de ma vie adulte. J'avais eu des chats, plus jeune, dont la fameuse Grisoune qui a meublé notre enfance, mais là, c'était le premier chat à Carolane et moi, dans notre premier appart à nous en plus. Nous l'avons appelé Miss. Plus tard, à son premier rendez-vous chez le vétérinaire, on nous a dit que Miss était un mâle. *Whatever*, Miss resterait Miss. C'est tout.

Fait que Miss, le chat, nous a accompagnées à tour de rôle dans nos apparts depuis 10 ans. Au moment où j'écris ces lignes, il est toujours vivant et sera à tout jamais éternel dans nos cœurs. L'affaire avec Miss, c'est que c'est le chat le plus raide de toute la terre ou presque. Quand il se fait flatter, il est raide comme une barre, il ne bouge pas et il a l'air plus *awkward* que tout ce qui existe. C'est ce qui fait son charme, je crois. Aussi, il se reconnaît seulement si on dit son nom vraiment aigu: «Miiiiiiss!» En tout cas, ce détail a pas rapport avec l'histoire, mais l'autre oui. Donc, c'est ça, Miss est vraiment *stiff* comme chat.

En 2004, j'ai dix-huit ans. J'ai couché avec deux-trois gars déjà dans ma vie (ce n'est pas clair), et il y a le frère d'une serveuse du restaurant où je travaille qui vient souvent boire le soir sur le bras de tout le monde. Noël approche, je me sens seule, pis je bois au restaurant avec une gang de personnes pas super heureuses. *So far, so good*, je cruise le frère de l'autre, je finis chez le gars. (En passant, Miss existe pas encore dans ma vie, parce qu'on est en 2004, sauf que je me sens un peu *stiff* et maladroite avec un gars plus vieux que moi, mais je me dis «YOLO».) Bref, le gars sait où il s'en va même si on est soûls et ça change de mes fois d'avant. Donc le gars fait ses affaires, je fais

les miennes pis c'est le fun, jusqu'à ce qu'il me regarde et me dise «laisse-toi aller». Au début, je suis comme «gna, ouain, mais t'sais, je me sens vraiment pas si *stiff* que ça» dans ma tête, alors j'essaie de participer un peu plus, de bouger ou je sais pas.

Puis ça continue et il me glisse encore à l'oreille de me laisser aller, alors j'ai juste le goût de me rhabiller et de crisser mon camp. Je ne suis pas en train de fourrer pendant le temps des Fêtes avec une personne dont je me crisse un peu pour me faire dire ça. Puis il me tourne, il met du lubrifiant partout sur mes fesses, il rentre là-bas et bam. C'est fini après trois minutes, même pas. Pas assez de temps pour que je comprenne ce qui se passe et pas assez non plus pour que je puisse me demander si j'ai du fun ou quoi que ce soit. À la limite, je suis contente que ce soit fini: je veux juste aller dessoûler chez nous pour penser à ça.

Il y a plusieurs choses qui se sont passées après ça. Je pense que j'ai compris pourquoi ce n'était pas bon signe quand je me mettais à être *stiff* comme Miss. Pour moi, «se laisser aller», c'est devenu synonyme de: avoir l'air d'avoir du fun pour que le gars éjacule. Pas avoir du fun vraiment. Pis t'sais, si Miss est *stiff*, c'est peut-être pas parce qu'il aime pas ça, se faire flatter. C'est peut-être juste parce qu'il est de même depuis qu'il est un chaton. En tout cas.

Je sais aujourd'hui qu'un gars ne peut pas décider si j'ai du plaisir ou non. Pis j'ai compris que j'avais parfaitement le droit de ne pas vouloir qu'on aille «là» dans une relation sexuelle, même si le gars est plus vieux pis que j'ai bu. Bref, je classe ça dans les expériences pas *nice* qui ont fait que je n'ai pas tant eu de fun avec ma sexualité jusqu'au début de ma vingtaine.

Évidemment, j'écris ce texte et Miss vient se planter raide comme une barre devant l'ordi pour se faire flatter de la façon la plus *awkward* possible. ∎

134

Pascale, 34 ans

Ta petite transition

RACONTE-NOUS UN PEU TA JEUNESSE. COMMENT ÇA S'EST PASSÉ ?

Je suis née le 8 août 1983, dans la banlieue très blanche et ordinaire de L'Ancienne-Lorette, à Québec. Ma mère a choisi le nom de Pascal, à cause d'un petit garçon dans un film qui meurt écrasé sous un sapin de Noël. Elle trouvait ça beau. J'étais un paquet de troubles, j'étais pleine de tics et de problèmes d'apprentissage. Pour égaliser tout ça, comme une jolie cerise sur un gâteau, j'aimais les poupées. Ma chambre était pleine de poupées Barbie pimpées, les cheveux ben gaufrés, les jambes habillées de mini-jupes rose *flashy*.

Dans la cour d'école, j'aimais me faire croire que j'étais une autre : Mitsou, par exemple. Toupet blond, punkette de salon. Être un petit gars aux cheveux courts qui doit jouer aux *trucks* avec les autres *kids*, ce n'était pas moi.

J'aimais mieux faire semblant que j'étais une belle fille. Je marchais, je parlais, presque toujours avec l'image d'une fille superposée sur moi. Je sentais une distance avec le monde des garçons, je me savais différente, sans pouvoir mettre un mot sur ça.

Je me souviens une fois avoir dit à une amie que j'étais amoureuse de David Bowie et que j'espérais qu'il m'enlève et m'emmène avec lui dans le monde du film *Labyrinth*. Je savais que j'aimais les garçons, mais je n'arrivais pas à m'identifier comme un garçon qui aime les garçons.

Ça, ce n'était pas mon histoire à moi.

QUAND AS-TU SU QUE TU ÉTAIS NÉE AVEC UN GENRE QUI NE TE CORRESPONDAIT PAS ?

Je l'ai toujours su, mais ça a été un processus graduel, mettons. Ce n'est pas mon genre qui ne me correspond pas, mais plutôt l'idée que parce que j'ai un sexe dit masculin, je devrais aussi avoir un genre masculin.

J'avais une aversion terrible pour les costumes de petit gars quand j'étais petite, de même que pour tout ce qui était associé au masculin, mais c'est vers l'adolescence, c'est-à-dire en même temps que je me suis découvert une passion pour les Spice Girls et les séances de magie noire sous les escaliers de mon école – merci au film *The Craft* –, que j'ai compris que j'étais une fille.

J'étais très mal dans ma peau, et sous mes habits de coton ouaté, ça brassait pas mal.

Quand mes bras ont commencé à se couvrir de poils et que ça paraissait trop, je me suis mise à me raser. C'est un sentiment étrange de voir son corps se transformer et de voir qu'il n'est pas du tout ce que tu voudrais qu'il soit, et je pense que toutes les filles – et plusieurs garçons – connaissent ce feeling à l'adolescence, mais quand tu es trans, c'est autre chose. C'est autre chose de voir les autres filles en camisole se faire des chums et de devoir rester interdite devant tout ça.

QU'EST-CE QUI A ÉTÉ LE PLUS DIFFICILE DANS TA TRANSITION ?

Sûrement de finir par finir d'assumer qui je suis, et d'écrire une lettre – une lettre sur Word, parce que je suis une fille de mon époque – à mes parents pour leur dire que j'étais Pascale.

Assumer que je devais m'incarner physiquement – même si les gens me prenaient tous déjà pour une fille, sans maquillage ni poitrine, mais avec une paire de sourcils over-épilés. Ma transition est non chirurgicale et non hormonale, ce qui veut dire que je n'ai pas eu d'opérations et que je ne vais pas prendre d'hormones. C'est important de comprendre que toutes les transitions sont valides, il faut le dire et le redire.

Aussi, ça peut sembler superficiel, mais *dealer* avec les poils, quand tu n'as pas encore eu de traitement au laser, c'est quelque chose. Aussi féminisé et *fighter* puisses-tu être, le regard des gens qui devinent les poils dans ton cou, c'est difficile. Difficile aussi de savoir qu'on a pu te percer et deviner que tu étais trans, et que tu puisses peut-être être en danger, physiquement, ou juste te faire traiter de tapette ou de *freak*.

AS-TU UNE PHRASE CLÉ POUR QUE LE MONDE ARRÊTE DE TE POSER DES QUESTIONS ?

Je ne sais pas si j'ai une phrase clé pour ça, mais je sais que je peux dire que personne ne se promène le sexe à l'air dans la rue, et c'est valide aussi pour moi. Ce que je veux dire, c'est que mon sexe physique, génital, ne regarde personne. Ce qu'on voit des gens, c'est eux, c'est leur genre social.

EST-CE QUE C'EST FACILE D'EN PARLER, OU C'EST ENCORE TABOU ?

J'en parle beaucoup sur Facebook comme je parle de tout : de mon chum, de mes névroses, de quand je me pète les genoux sur la glace parce que je suis trop soûle. Et je vais continuer de le faire. Je veux faire ma part et être une activiste à ma façon, c'est-à-dire en continuant de prendre parole, dans un statut Facebook ou via la poésie, ou juste en allant dehors.

Être trans, ça ne devrait pas être tabou, jamais, même si une partie de moi est contente que ça choque parfois les gens, les gens qui ont justement besoin de se faire bousculer et d'être confrontés à propos des questions de l'identité de genre.

EST-CE QUE ÇA TE TAPE SUR LES NERFS DE DEVOIR EN PARLER ET ÉDUQUER LA POPULATION, OU TU COMPRENDS CE QUE LES GENS NE COMPRENNENT PAS ?

Ça ne me tombera jamais sur les nerfs, même si ce n'est pas tout ce que je suis. Une fois, je passais à la radio et je disais que contrairement à Kim Kardashian pour qui la job est d'être Kim Kardashian et accessoirement la muse de Kanye West, ma job, ce n'est pas d'être trans, je suis aussi une poète-créatrice – et le fait que je sois trans influence mon travail, mais il ne s'agit pas que de ça.
Je comprends que les gens ne comprennent pas toujours, mais je suis assez patiente et effrontée pour les reprendre gentiment, comme j'aimerais qu'on me le fasse si je m'exprimais mal sur un sujet.

PARLE-NOUS DE LA VIOLENCE ENVERS LES TRANS. TE SENS-TU EN SÉCURITÉ ?

Je veux commencer par démystifier quelque chose : le *passing*, c'est de passer pour le genre auquel tu t'identifies. C'est une notion qui est très importante, dont je veux parler en tant que fille trans qui répond à des questions dans un livre qui s'adresse aux filles.

Il y a quelque chose de dangereux avec le *passing*, parce que d'une façon, c'est très sexiste. Si tu n'es pas belle, si tu n'as pas de longs cheveux ou des traits féminins et une petite voix de pinson, souvent, aux yeux des gens, tu ne passeras pas. Alors, c'est comme de dire que toute féminité qui s'exprime en dehors d'une trame classique et hétéronormative n'est pas valide et ça, c'est problématique pour beaucoup de personnes trans qui ne correspondent pas et ne veulent pas nécessairement correspondre aux stéréotypes de genre.

Bref, c'est comme de dire qu'une femme masculine ne passe pas comme une femme, parce que son expression de genre n'est pas conforme avec les *so-called* règles de la féminité.

Là où je veux en venir, c'est que même si le *passing* est souvent une chose problématique dans ce qu'il veut exprimer, c'est aussi et souvent un gage de sécurité pour beaucoup de femmes trans, qui peuvent se perdre dans la masse sans devoir s'attendre à être attaquées verbalement ou physiquement.

Je suis fière des femmes trans qui ne passent pas (et de celles qui passent aussi, disons-le) et qui gardent la tête haute en assumant qui elles sont en dehors de ce que la société nous propose.

Il faut parler aussi des femmes de couleur, qui subissent autant de la violence transphobe, sexiste et homophobe que raciale. Laverne Cox, qui a su s'infiltrer dans les médias de masse populaires, aborde souvent ce sujet, et j'espère qu'elle va continuer de le faire. Il y a d'autres figures trans noires qui sont plus underground et queer qui le font, et j'espère que ça ne va jamais s'arrêter, parce que c'est important.

Toutes les personnes trans ont une voix, un cri, un discours et des corps qu'on doit respecter. Je suis relativement en sécurité. Je passe, la plupart du temps. Je ne me fais pas vraiment crier de noms, maintenant. Je suis une fille qui fait sa place dans le monde. Mais comme toutes les autres femmes, trans ou pas, je dois rester sur mes gardes. La violence est une chose présente dans notre monde. J'ai déjà été victime de violence, surtout verbale, et ça taille un caractère. Ça t'oblige à ne rien tenir pour acquis de ta sécurité dans le monde, ce qui est quand même triste.

QUELLE EST LE MEILLEUR CONSEIL QUE TU PEUX DONNER À UNE PERSONNE QUI VIT CE QUE TU AS DÉJÀ VÉCU ?

De prendre son temps, de faire les bons choix, et de toujours se sentir comme une personne qui en vaut la peine, peu importe son identité ou la présentation de genre qu'elle adopte. Je lui dirais aussi que c'est OK de reculer, et de ne pas être certain.e de ses choix. C'est OK de pleurer souvent, de se trouver moche, d'avoir l'impression de ne plus savoir qui on est.

COMMENT TU TE SENS AUJOURD'HUI ?

Je ne vais jamais être une fille – complètement – saine. Je ne vais jamais être une fille *clean*, droite, qui voit le monde comme une mince ligne claire qu'on a juste à suivre du bout du doigt. Je suis vivante, c'est ce qui compte le plus. J'ai de l'amour et je donne de l'amour. Je suis souvent soûle, souvent toute croche, mais je sais que je suis forte, aussi.

En passant, mes sourcils ont à nouveau l'air *hot* et présents dans ma face.

EST-CE TU PENSES QUE TOUTES LES FILLES SONT FOLLES ?

Oui, toutes les filles sont folles, moi la première. Je pense à mes amies, avec qui je me suis fendu les lèvres avec de la *booze* trop forte, mes amies qui ont pleuré dans mes bras parfois en écoutant trop de fois certaines tounes, mes amies qui supportent mes tremblements, restes d'une relation toxique, mes amies de qui j'ai lavé les blessures dans mon bain, mes amies qui crient dans les rues de la ville et pètent leurs collants, mes amies qui doutent toujours un peu, pleines de tics et de tocs elles aussi, mes amies qui ont joué du couteau un peu trop.

Il ne faut pas instrumentaliser l'idée de la folie ni la rendre glamour, mais il ne faut jamais avoir honte de ce qui nous garde vivantes. Être vivante, c'est souvent mal vu. Être trop présente, trop hystérique, trop verbeuse, ça gosse, et ça ne devrait pas.

Je souhaite à toutes les filles de trouver une folie qui leur va, et de regarder leurs mains comme si c'était la première fois et de se sentir vraiment vivantes.

Être trans, ça ne devrait pas être tabou, jamais, même si une partie de moi est contente que ça choque parfois les gens, les gens qui ont justement besoin de se faire bousculer et d'être confrontés à propos des questions de l'identité de genre.

137

Quand parler, c'est la meilleure façon de se guérir d'une agression

JOSIANE STRATIS

J'ai eu beaucoup de difficulté à découvrir ma sexualité quand j'étais prête à le faire, parce qu'il m'est arrivé un truc dégueulasse vers la fin du secondaire. Un truc qui m'a marquée. Nous venions d'avoir notre permis, Caro-lane et moi, et nous étions dans les premières de notre gang à avoir accès à une voiture. Il y avait un party chez un gars, l'ami du chum d'une amie. Nous étions quatre filles, nous avions de la bière et une voiture.

C'était un party normal comme il y en a souvent. À la fin, on s'est couchés, cordés comme des sardines un peu partout. Je me souviens que je m'étais mise sur le bord d'un divan-lit en espérant ne pas me faire crisser par terre, mais ce qui est arrivé est bien pire : je me suis fait doigter à répétition pendant la nuit par un gars à qui j'ai dit non plusieurs fois.

Je me suis réveillée à genre six heures du matin, et nous sommes parties les quatre filles ensemble. J'ai dit à mes amies ce qui était arrivé. On m'a dit qu'il faisait ça à plein de filles et de pas m'en faire. J'ai enfoui cette histoire dans le creux de mon être et je n'en ai presque jamais parlé.

Une fois, un gars m'a dit que c'était plate parce que j'avais jamais l'air d'avoir du plaisir à me faire toucher la ploune. Je suis partie à pleurer. Je lui ai déballé mon histoire et j'ai bien vu dans sa face qu'il trouvait que je faisais une scène pour rien. Personne ne parlait de consentement en 2003, et je vous assure que dans les années suivantes, c'était pas vargeux non plus. Moi aussi, je pensais que je faisais une crise pour rien.

Quand j'étais enceinte, plusieurs images de la soirée où on m'a agressée me sont revenues. Je ne pouvais plus enfouir ça, parce que maintenant j'étais totalement à jeun.

Quand le mouvement #Agression-NonDénoncée a pris de l'ampleur, j'ai décidé de raconter mon histoire. C'était pas grand-chose, j'avais surtout peur qu'on remette en cause mon témoignage en disant que ne c'était rien du tout, mais finalement, je me suis juste sentie écoutée et comprise.

Puis, plus tard, enfin, je me suis sentie libérée de toutte ça. Pas de façon magique, genre «pouf babaille». Mais comme j'ai entendu un paquet de femmes parler ouvertement du fait que le spectre des agressions est vraiment large et qu'il est possible d'éduquer les gens à respecter le consentement des autres, je me suis sentie libérée. J'ai choisi de ne plus m'arrêter à une soirée dans ma vie. Je

me suis pardonnée ce que j'avais à me pardonner là-dedans, puis je me suis concentrée sur le fait qu'il fallait parler de consentement à tout le monde, le plus souvent possible.

Je *feele* pas toujours 100 % correcte en pensant à ce qui s'est passé, mais je dirais que c'est OK à 80 %. Et ça, ça m'aide à travailler sur le 20 % qui reste. ∎

On m'a dit qu'il faisait ça à plein de filles et de pas m'en faire. J'ai enfoui cette histoire dans le creux de mon être et je n'en ai presque jamais parlé.

Remerciements

Nous tenons à remercier les Éditions Cardinal pour tout ce qu'elles font pour nous et avec nous. C'est toujours challengeant de sortir du WWW, mais grâce à vous, nous sommes capables d'exporter notre plume sur le papier, en confiance et dans le respect de notre style !

Merci à Antoine Ross Trempe, à Noémie Graugnard, à Marie Guarnera et à notre éditrice Emilie Villeneuve. Merci aussi à Marie Leviel pour le graphisme, à Marï photographe et à Valérie Darveau pour ses belles illustrations qui nous permettent de mettre en images et en place tout ce que nous voulons dire.

Merci aux personnes qui se sont prêtées à nos entrevues écrites : Andréa, Claudine, Pascale, Valérie, Justine, Ariel, Alexandra, Audrey, Marie-Hélène, Ève-Audrey, Maude, Myriam, Stéphanie, Annie, Alex, Laïma, Ariane, Vanessa, Eve et Camille. Vous nous avez permis de parler avec vérité de choses que nous n'avions pas vécues.

Merci à l'ordre du Phénix, pas celui dans *Harry Potter* ; vous savez qui vous êtes. Et merci aux Next Level.

Merci à Obox Éditions, qui nous ont adoptées depuis un an et qui tiennent nos sites Internet au chaud en nous permettant par la même occasion de *rise and shine* : Géraldine, Érick, Chris, Luis, Charlotte, Julien, Franck, Mathieu, Johana, Sabrina, J.-F., Kelly-Ann, Sandrine, Alex. Un merci tout particulier à notre âme sœur et éditrice Pauline Lambert, qui nous aide tellement à rendre nos sites meilleurs et qui nous comprend à demi-mot ou à pas de mot pantoute parce qu'on ne sait plus ce que qu'on dit ou pas ! Merci aussi à toutes nos collaboratrices et à tous nos collaborateurs de nous aider à élargir notre vision du monde, notre compréhension de celui-ci et de ses enjeux. Finalement, merci aux lecteurs et lectrices de *TPL* et de *TPL Moms*, car sans vous, nous ne serions pas où nous sommes !

Remerciements spéciaux de Carolane

C'est important de dire merci à mes enfants, Dolores et Marcel : aussi *cheezy* que ça puisse paraître, c'est pour vous que je m'accroche à la vie et que j'essaie de me soigner de la dépression. Merci à Fabien parce que sans toi, nos deux bébés n'existeraient pas. Tu me pousses toujours à aller plus loin et tu crois en moi. Ce n'est pas rien. Merci à Josiane et à Mariane, mes deux sœurs qui forment maintenant mon noyau familial.

Merci à Fabienne et à Marcel pour toute l'aide que vous nous apportez, même quand vous êtes à 6000 km. Merci à Anne-Marie et au Dr Guay pour le soutien psychologique et psychiatrique. Merci à toutes mes gardiennes qui ont pris soin de mon bébé pendant que j'écrivais ce livre : Myriam D.-R., Mariane, Claudine, Michelle, Laurie, Alma, Juliette, Myriam P., Nathalie et Rosalynn. Vous m'avez permis d'écrire sans perdre la tête, pendant que Marcel commençait sa vie et ne dormait jamais. Merci à mes amies Ève, Dentelle (Gabrielle), Édith, Mathilde, Michelle, Théo, Audrey, Vanessa, Justine, Olet et Laurie : vous êtes pas beaucoup, mais vous êtes essentielles. Et je finis par remercier Josiane, ma jumelle, parce que sans elle, je ne serais sûrement plus là pour parler et je n'aurais jamais eu la force de me rendre où je suis.

Remerciements spéciaux de Josiane

Merci à Sébastien Landry Coquelin, mon Sebou d'amour : sérieusement, grâce à toi, je trouve un certain équilibre même si je suis un peu *slowpoke* ou *high on life*. Merci à Arthur : sans toi, la vie serait pas mal moins comique et moins poétique. Faudrait juste que tu dormes un peu plus, mais ça, même ta maman n'est pas capable de le faire, alors t'sais. Merci à Thérèse et Carol : sans vous, disons que ma vie serait pas mal moins belle. Je suis encore et toujours contente de faire partie de votre famille. Merci à Goulet, mon centre de crise. Merci à Théo, Audrey, Vanessa aussi, pour vous savez quoi. Merci à Hannah, Anne-Sophie et Mathieu d'être d'aussi bons amis ! Merci à tous ceux qui m'ont aidée à me faire une idée plus claire de ce que je voulais faire dans ce livre. Merci à Mariane aussi : t'as pas la place la plus facile, mais ta place existe. Merci finalement à Carolane de me laisser les derniers mots dans ce livre… *joke*. Merci, Carolane : après 30 ans, on a encore des trucs à améliorer, mais je crois qu'on fait la meilleure équipe qui existe au monde entier.

Biographies

Photo : *Marī photographe*

CAROLANE STRATIS

Carolane est née il y a 30 ans, 12 minutes avant sa sœur.
Elle a 2 enfants : Dolores et Marcel. Elle a cofondé
Ton Petit Look il y a 6 ans, et *TPL Moms* 3 ans plus tard.
Elle est diplômée en design de mode et en gestion
industrielle de la mode. Coauteure du livre *Ton Petit Look :
guide pour une vie (genre) épanouie*, Carolane aime travailler
en équipe. Elle aime aussi boire du café et dormir, mais
comme elle travaille sur Internet et que son petit dernier
n'a pas 1 an, elle s'adonne bien plus à l'une de ces
activités qu'à l'autre. Elle vous laisse le soin de deviner
de laquelle il s'agit !

JOSIANE STRATIS

Josiane est aussi née il y a 30 ans (bizarre, non ?). Elle a
1 enfant nommé Arthur, 2 chiens nommés Winston et
Clément, ainsi que plusieurs diplômes en commercialisa-
tion de la mode, en animation et recherche culturelles,
en communication et en journalisme. Malgré son emploi
du temps bien rempli grâce aux sites qu'elle a cofondés
avec sa soeur jumelle (*Ton Petit Look* et *TPL Moms*),
Josiane essaie de dormir de temps en temps. (Même
si son cerveau va un peu trop vite !) À part ça, ça va !

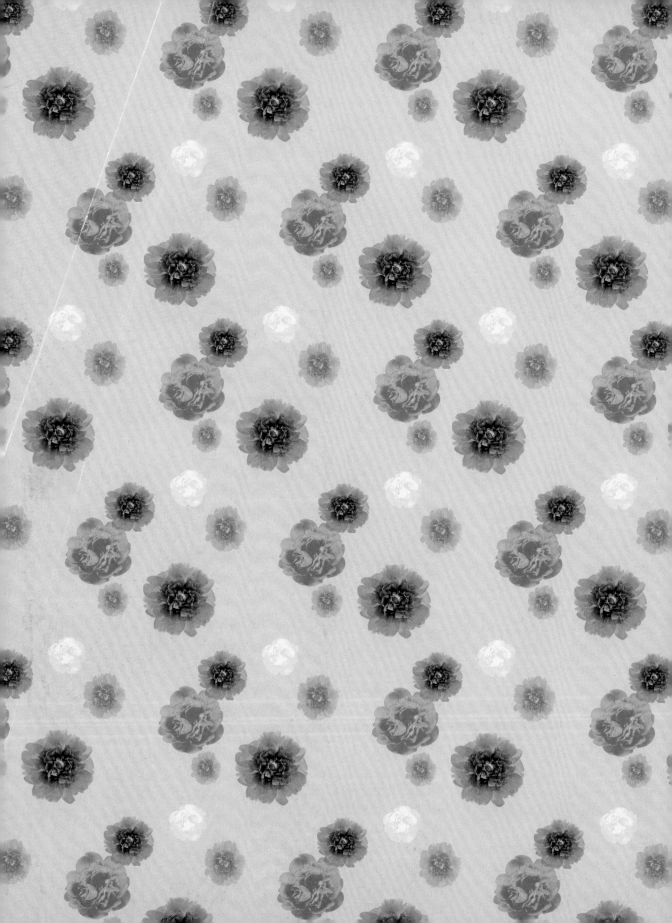